Mary Kay

L'incroyable réussite de la femme d'affaires
la plus dynamique des États-Unis

Mary Kay Ash

Quatrième édition

Version française par Les Services linguistiques des Cosmétiques Mary Kay ltée, avec la précieuse collaboration de N. Dagenais (Trad. ind.).

PREMIÈRE ÉDITION

Ce livre est dédié aux milliers de femmes qui ont
OSÉ
quitter leur « zone de confort » pour
UTILISER
les talents et qualités que Dieu leur avait
donnés, sachant qu'Il avait prévu à leur
intention une vie remplie de
SUCCÈS!

Table des matières

Remerciements

J'aimerais remercier de tout cœur les trois dévoués collaborateurs dont le soutien inestimable m'a permis de préparer ce manuscrit. Il s'agit de Bob Shook, dont les encouragements et le sens de l'organisation m'ont été indispensables, de l'auteure à succès Linda Perigo Moore ainsi que d'Yvonne Pendleton, qui fait partie de notre personnel et a contribué à réunir l'information nécessaire à la rédaction de l'épilogue. Merci à vous trois de m'avoir aidée à raconter mon histoire dans les mots les plus justes. Sans vous, ce livre n'aurait sans doute jamais vu le jour.

Avant-propos

J'avais déjà songé à rédiger un livre. Au terme d'une carrière de 25 ans dans la vente directe, j'étais à la retraite depuis moins d'une semaine et je me tournais déjà les pouces. J'ai alors compris pourquoi tant de notices nécrologiques indiquent que le défunt « avait pris sa retraite l'an dernier ». J'habitais à l'époque en face d'une maison funéraire : aussi bien y réserver tout de suite ma place, ai-je pensé!

J'avais jusque-là consacré toute mon énergie à la gestion de ma carrière et au bien-être de ma famille, sans goût particulier pour les loisirs qu'apprécient la plupart des gens. Je n'ai jamais eu le temps d'apprendre le tennis, par exemple, et je détestais les réceptions mondaines. Le travail étant pour moi synonyme d'épanouissement, c'est lui et lui seul qui m'incitait à me lever chaque matin.

J'avais donc en mémoire le parcours d'une carrière stimulante et productive, entravée toutefois par les nombreux problèmes que connaissent les femmes dans le monde des affaires. On m'avait trop souvent mis des bâtons dans les roues en invoquant des idées rétrogrades sur le rôle des femmes dans ce milieu dominé par les hommes. « Mon expérience, ai-je pensé, pourrait peut-être aider d'autres femmes à surmonter les obstacles que j'ai rencontrés. » C'est ainsi que j'ai voulu rassembler mes idées dans un livre qui leur ferait profiter des leçons que j'avais apprises. Au début, je ruminais sans cesse les possibilités qu'on m'avait refusées parce que j'étais une femme. Puis, j'ai pensé qu'en dressant cette liste, je pourrais au moins soulager mon amertume. Ce qui fut heureusement le cas. Parallèlement, je me suis rendue compte qu'en offrant aux femmes les occasions dont on m'avait privée, je créerais une « compagnie idéale » où les rapports humains seraient fondés sur la Règle d'or, où les femmes jouiraient de possibilités infinies, où personne ne freinerait la réussite des plus compétentes et des plus déterminées.

À l'aide de mes notes, j'ai donc entrepris la rédaction d'un manuel de gestion, mais une question me hantait : « Au lieu de réfléchir théoriquement à l'entreprise idéale, pourquoi ne pas lancer concrètement la Compagnie de mes rêves? ». C'est ainsi que j'ai fondé Les Cosmétiques Mary Kay le vendredi 13 septembre 1963. Depuis, j'ai assisté avec bonheur et fierté à l'expansion ininterrompue de cette Compagnie rêvée. Grâce à Dieu et au soutien inestimable de ma famille, de mes amis et de mes associés, nous sommes passés de neuf représentantes des ventes entassées dans un minuscule local à une famille internationale regroupant dans le monde entier des centaines de milliers de Conseillères en soins de beauté dont chacune gère sa propre entreprise indépendante. Bref, cette liste rédigée il y a si longtemps a procuré à d'innombrables femmes la chance de s'épanouir en réalisant leur immense potentiel.

Pour leur offrir cette chance, je me suis toujours interdit de m'endormir sur mes lauriers, mettant tout en œuvre pour conserver à nos produits une qualité exceptionnelle et appliquer les meilleures méthodes de gestion possible. C'est dans ce but qu'en 1968, j'ai accepté que notre Compagnie soit cotée en Bourse. C'était alors une mesure nécessaire et un moyen de dynamiser notre expansion, mais au fil des années et de l'évolution du marché, nous en sommes venus à comprendre que notre croissance risquait d'en être entravée.

Au printemps 1985, nous avons décidé de racheter toutes nos actions en cours pour mieux servir les intérêts de notre personnel, de notre effectif de vente et de notre clientèle. À la lumière des conclusions d'experts indépendants, nous avons donc fait une offre de rachat équitable et reconquis notre statut d'entreprise familiale.

Ce retour aux sources présentait de nombreux avantages, le plus important de tous étant que Les Cosmétiques Mary Kay ne dépendrait plus des fluctuations d'un marché financier dominé par des investisseurs en quête d'argent facile.

Une chose est cependant restée inchangée depuis cette reprise en main : chaque Conseillère et Directrice de notre effectif de vente dirige sa propre entreprise indépendante. À partir de notre siège social, nous pouvons en revanche suivre de plus près l'application des principes de base sur lesquels repose notre Compagnie.

Mon rôle de fondatrice et de présidente émérite des Cosmétiques Mary Kay a évidemment créé autour de ma personne une abondante publicité, de sorte qu'on semble aujourd'hui écouter ce que j'ai à dire. Je m'en suis pourtant tenue toute ma vie aux mêmes convictions, mais on accorde apparemment plus d'importance aux propos des gens qui obtiennent un certain succès. Le moment est donc venu pour moi de rédiger enfin ce livre.

Je n'ai jamais été du genre à laisser passer une bonne occasion. J'estime ainsi que ce monde déborde de possibilités pour les femmes qui appliquent certains principes de vie. D'aucuns diront que ma philosophie d'entraide centrée sur la Règle d'or est démodée, mais je crois pourtant qu'elle convient parfaitement aux femmes d'aujourd'hui en les aidant à accomplir tout ce qu'elles ambitionnent de faire. Quoi qu'on en dise, elle a fait ses preuves.

J'aimerais en conséquence vous faire part des éléments de cette philosophie, mais aussi des sentiments profonds, joies et déceptions comprises, qui ont marqué ma vie. En me lisant, vous remarquerez sans doute que je situe rarement les faits dans le temps. Je me rappelle bien sûr les moments clés, par exemple les anniversaires de mes enfants, mais quelques dates trop précises et un peu de calcul mental vous permettraient de déduire mon âge. Or, je ne révèle jamais mon âge. Pourquoi le ferais-je? Je crois qu'une femme qui révèle son âge révèle déjà trop d'elle-même. Je dirai simplement que je ne suis pas aussi vieille qu'on le dit parfois (oui, j'ai eu vent de certaines rumeurs!). Voici d'ailleurs ce que j'ai entendu de mieux sur la question : « Si vous ignoriez votre âge exact, quel âge vous donneriez-vous? ». Pour ma part, j'ai toujours l'impression d'avoir 24 ans!

Ce livre s'adresse donc à quiconque se sent jeune et souhaite réussir sa vie. Dites-vous que Dieu n'a créé aucun être humain qui ne soit digne d'amour et d'intérêt. Il n'en avait tout simplement pas le temps. Vous pouvez donc être et avoir tout ce que vous désirez. Tous autant que nous sommes occupons une place unique à Ses côtés. Il suffit qu'une seule personne croit en vous pour vous sentir pousser des ailes. J'en suis la preuve vivante puisqu'un jour, quelqu'un m'a fait confiance malgré mon peu d'expérience et de qualifications. Une confiance qui explique en grande partie ma réussite actuelle.

MARY KAY

1

Croyez en votre réussite!

Il y a quatre catégories de gens en ce monde :

- Ceux qui font changer les choses
- Ceux qui regardent les choses changer
- Ceux qui se demandent ce qui s'est passé
- Ceux qui ne remarquent *même pas* que les choses changent!

J'ai voulu très tôt faire partie de la première catégorie. Et j'ai observé depuis, que les gens qui réussissent se démarquent par leur personnalité, leurs objectifs et leurs compétences. Bref, ils cultivent les qualités suivantes :

- enthousiasme (mais un enthousiasme ciblé sur un objectif précis)
- discipline
- volonté (de travailler, de se rendre utile, d'apprendre)
- détermination
- estime et considération pour autrui

Voilà ce que j'ai appris au fil du temps, car cette leçon ne m'est pas tombée du ciel. J'avais sept ans lorsque mon père est rentré à la maison après un séjour de trois ans en sanatorium. Sa tuberculose était en rémission, mais il n'était pas vraiment guéri. Toute mon enfance, j'ai eu un papa invalide dont l'état réclamait des soins cons-tants.

C'est donc ma mère qui a dû subvenir à nos besoins. Elle avait fait des études d'infirmière, mais a finalement trouvé un emploi de gérante dans un restaurant de Houston. À l'époque, ce genre d'emploi était peu rémunéré, surtout pour les femmes. Maman travaillait 14 heures par jour, quittant la maison à cinq heures (soit bien avant mon réveil) et rentrant le soir à 21 heures (j'étais le plus souvent endormie). Mon frère et ma sœur aînés ayant quitté le foyer, c'est à moi qu'il incombait de prendre soin de mon père.

Jamais je n'ai imaginé qu'il pouvait en être autrement. Dès mon retour de l'école, je rangeais la maison avant de faire mes devoirs. Je m'acquittais de mes responsabilités sans rechigner, et même de bon cœur. Certaines de mes tâches étaient sans doute trop lourdes pour l'enfant que j'étais, mais personne ne m'en a jamais rien dit. Je faisais donc ce qu'il y avait à faire, tout simplement.

La préparation des repas représentait cependant un défi de taille. Maman était une excellente cuisinière, mais je devais moi-même faire à manger quand elle travaillait tard. À sept ans, je ne pouvais évidemment pas faire de miracles (surtout qu'il n'y avait à l'époque ni plats congelés ni mets à emporter). Si papa voulait manger du poulet, du chili con carne ou tout autre plat que je ne savais pas préparer, je composais le numéro du restaurant de maman. C'est ainsi par téléphone que ma mère m'a appris l'essentiel de ce que je sais. J'ai longtemps remercié le ciel de l'invention du téléphone, principal lien qui m'unissait à ma mère. Quelle que soit l'heure à laquelle je l'appelais à son travail, elle trouvait toujours le temps de m'expliquer patiemment ce que je devais faire.

« Bonjour maman! Papa voudrait de la soupe aux pommes de terre...»

— « D'accord, ma chérie. Prends la grande casserole dont tu t'es servie hier soir. Épluche ensuite deux pommes de terre… »

Maman continuait en détaillant chaque étape de la recette. Je n'étais pas enfant à me plaindre. Je sentais cependant qu'elle comprenait que j'étais bien jeune pour assumer de telles responsabilités, car elle terminait toujours par ces mots d'encouragement : « Allez, ma chérie, tu y arriveras. »

En raison de notre situation familiale, je faisais donc une foule de choses généralement réservées aux adultes. Si j'avais besoin de vêtements, par exemple, je me rendais seule dans le centre-ville de Houston. Je m'y rendais seule, car les parents de ma meilleure amie lui interdisaient de prendre l'autobus sans être accompagnée d'un adulte. Après tout, nous n'avions que sept ans.

À l'époque, une robe de fillette se vendait 69 cents et une douzaine d'œufs moins de 20 cents. Maman me confiait ainsi un ou deux dollars, cc qui suffisait amplement pour m'acheter une robe ou une tenue à mon goût. J'adorais ces séances de magasinage, souvent le plus beau moment de ma semaine. Mon seul problème était de convaincre les vendeuses que j'avais la permission de dépenser cet argent. « Où est ta maman, ma petite? », me demandait-on. J'expliquais la situation et leur donnais le numéro du restaurant : « Vous pouvez l'appeler au travail, vous verrez bien que j'ai sa permission! »

Mes achats terminés, j'entrais dans un casse-croûte appelé Kress pour me régaler d'un sandwich fromage-piment et d'un Coca-cola. Puis, j'allais au cinéma. Chaque semaine, j'attendais impatiemment ces samedis « en ville ». Un repas à vingt cents et un film à dix cents : il n'en fallait pas plus pour faire mon bonheur.

Au début, j'étais un peu inquiète à l'idée de monter dans le mauvais autobus ou de me perdre. Je me répétais alors ces paroles de maman : « Allez, ma chérie tu y arriveras! » J'ai dû entendre ces mots des milliers de fois, prononcés avec une conviction inébranlable. Avec le recul, j'imagine l'angoisse qu'elle éprouvait sûrement en me confiant autant de responsabilités, mais jamais je n'ai ressenti chez elle la moindre hésitation. Je la sentais convaincue de mes capacités et de ma débrouillardise. Si bien que cette petite phrase qui a bercé mon enfance m'a accompagnée tout au long de ma vie : « Tu y arriveras! »

Cette confiance de ma mère m'aura été inestimable. Sans elle, les Cosmétiques Mary Kay n'aurait sans doute jamais vu le jour. C'était donc en 1963. J'avais derrière moi 25 ans de carrière dans la vente directe, mes enfants étaient adultes et je n'avais aucune envie de me croiser les bras. La retraite? Très peu pour moi! C'est ainsi que j'ai défini une stratégie et une philosophie sur lesquelles fonder la « Compagnie de mes rêves ». J'ai recruté quelques représentantes et investi dans mon projet la totalité de mes économies. Je me servirais de mes longues années d'expérience pour former et encadrer mes Conseillères en soins de beauté, tandis que mon mari s'occuperait des questions de gestion. Nous avons assemblé des emballages de pots et de flacons portant l'étiquette « Beauty by Mary Kay » (La beauté selon Mary Kay). La marque « Mary Kay Cosmetics » serait créée un peu plus tard.

Tout juste un mois avant d'ouvrir nos portes, je déjeunais avec mon mari qui me parlait chiffres en prévision du lancement imminent de la Compagnie. Je l'écoutais d'une oreille distraite, comme toute bonne épouse convaincue des talents de gestion de son conjoint. C'est alors que, subitement, il a succombé à une crise cardiaque.

Le travail est souvent le meilleur antidote au chagrin. C'est pourquoi j'ai décidé, malgré ce terrible deuil, de lancer la Compagnie comme prévu. J'en avais eu l'idée et c'était mon rêve le plus cher, mais jamais je n'aurais envisagé de la diriger seule. Je n'avais aucune véritable compétence en gestion, mais tous ces produits, flacons, pots et emballages auraient pris le chemin des ordures si j'avais tout annulé. Je n'avais d'autre choix que d'aller de l'avant.

J'ai tout de même demandé l'avis de mon comptable et de mon avocat.

« Renoncez, m'a dit ce dernier en secouant la tête. Liquidez sans plus attendre pour récupérer si possible l'argent investi. Sinon, vous perdrez tout. Absolument tout. »

Je me suis alors tournée vers mon comptable en quête d'un avis plus encourageant. Peine perdue : « Vos chances sont nulles. Et ce barème de commission est ridiculement élevé. En moins de temps qu'il n'en faut pour le dire, vous serez acculée à la faillite, et il ne vous restera plus un sou. »

Le jour des obsèques de mon mari, mes fils et ma fille ont fait le voyage de Houston à Dallas. Peut-on imaginer pire moment pour prendre une décision d'affaires? Il fallait pourtant s'y résigner. Après la cérémonie, nous nous sommes réunis pour discuter des recommandations qu'on m'avait faites. Mes enfants m'ont écoutée attentivement, sans prononcer un mot.

À 22 ans, Richard était alors représentant des ventes dans une compagnie d'assurances, la *Prudential Life*. C'était l'un des plus jeunes agents du Texas et il touchait un salaire de 480 dollars par mois (une somme faramineuse, pensais-je, surtout pour un gamin de son âge). Si Les Cosmétiques Mary Kay devait voir le jour, j'allais avoir besoin de son aide, mais je n'avais pas les moyens de lui offrir autant. J'ai pris une grande respiration et lui ai proposé 250 dollars par mois pour me seconder. Il a accepté sans hésiter. Malgré les protestations horrifiées de son entourage, il a aussitôt quitté son emploi et déménagé à Dallas.

Ben, mon fils aîné, était à 27 ans marié et père de deux enfants. Il ne pouvait pas tout quitter du jour au lendemain, comme son jeune frère, mais après m'avoir entendue dire mon intention de continuer, il m'a offert son soutien. « Un jour, j'aimerais me joindre à vous deux, Richard et toi. » Puis, avec un calme parfait, il a sorti son livret d'épargne de la poche intérieure de son veston. Le solde indiquait 4 500 dollars, soit tout ce qu'il avait économisé depuis ses études.

« Maman, j'ai la certitude que tu peux réussir en ce monde tout ce que tu veux accomplir. » Puis, me tendant son livret : « Voici mes économies. Si cela peut t'aider d'une manière ou d'une autre… »

Huit mois plus tard, nous avions besoin de quelqu'un pour gérer notre entrepôt en pleine expansion. Ben a quitté l'entreprise de soudure qui l'employait à Houston pour emménager avec sa famille à Dallas. Il y gagnait 750 dollars par mois et a accepté, comme son frère Richard, les maigres 250 dollars que j'étais en mesure de lui offrir. Et ce fut bientôt au tour de ma fille Marylyn de se joindre à nous en devenant la première Directrice Mary Kay de Houston.

Le vendredi 13 septembre 1963, soit un mois après les obsèques de mon mari, ma Compagnie, Les Cosmétiques Mary Kay, a ainsi ouvert ses portes comme prévu. Avec neuf représentantes des ventes et mon fils d'une vingtaine d'années comme directeur financier, peut-être vous demandez-vous comment j'ai pu avoir une telle confiance en l'avenir? Sans boule de cristal et rongée par le doute, je n'avais en fait qu'une certitude : je devais foncer. Quant aux prédictions catastrophiques de mon comptable et de mon avocat, je me suis dit qu'ils n'avaient ni la science infuse ni ma conception des affaires. Je savais aussi que je n'aurais pas une seconde chance de réaliser mon rêve. L'échec des Cosmétiques Mary Kay m'aurait renvoyée à une retraite d'autant plus difficile que j'y avais englouti toutes mes économies. Autrement dit, je devrais alors travailler pour quelqu'un d'autre le restant de mes jours. On ne pouvait trouver mieux comme incitation! Peu m'importaient donc les mises en garde des uns et des autres, j'irais au bout de mon rêve. « Maman, tu y arriveras » : ces mots de mes enfants étaient tout ce que j'avais besoin d'entendre.

Il faut dire qu'ils avaient grandi avec la conviction que leur mère pouvait accomplir une foule de choses. De leur naissance jusqu'à l'âge adulte, j'avais été leur principal soutien émotionnel et financier. Ils m'avaient vue me lever chaque matin à cinq heures pour attaquer mes journées de travail avant de les préparer pour l'école. Ils savaient qu'ils me retrouveraient après l'école pour le dîner, après quoi je retournais au travail. Au fil des années, nous avons emménagé dans des maisons et des quartiers de plus en plus agréables, et ils comprenaient que ce mode de vie devait beaucoup à mes efforts.

Aussi Richard et Ben m'ont-ils offert leur appui indéfectible contre l'avis de mes conseillers financiers. Un appui dont j'avais grandement besoin en ce triste jour des obsèques. Ils m'ont rassurée avec tendresse et aidée à retrouver toute ma confiance.

« Maman, m'a dit Richard en me prenant dans ses bras, Ben et moi en avons discuté et savons que tu peux réussir tout ce que tu entreprends, comme nous t'avons vue le faire maintes et maintes fois. Tu as fait merveille en travaillant pour les autres et tu peux faire encore mieux en travaillant à ton compte. »

Peut-être mes fils croyaient-ils plus fort au rêve de Mary Kay que leur propre mère à ce moment-là! C'est vrai, je connaissais bien le secteur de la vente directe et j'étais convaincue de la justesse de mes idées, mais confie-t-on la direction financière d'une nouvelle entreprise à un gamin d'une vingtaine d'années? Richard sortait à peine de l'adolescence et ne pensait qu'à se promener à moto! Oui, il avait été bon élève, mais pouvait-il vraiment contribuer au succès de ma Compagnie? Très franchement, je voyais mal comment il pourrait remplacer mon défunt mari à ce poste. « Ce serait un vrai miracle », me suis-je dit.

J'avais sous-estimé l'œuvre de Dieu. J'aurais dû savoir que lorsqu'Il ferme une porte, Il ouvre aussitôt une fenêtre. Et contrairement à moi, Dieu ne doutait pas des capacités de Richard. Il l'avait préparé à ce rôle en le dotant de talents inespérés. À preuve, Richard a été désigné Homme de l'année par l'Association américaine du marketing tout juste cinq ans après nos débuts. Jamais on n'avait décerné cet honneur à un homme d'affaires aussi jeune. Et du temps où nous étions une société publique, il est devenu l'un des plus jeunes présidents de l'histoire à diriger une société inscrite à la Bourse de New York. En fait, il a tout de suite agi comme un ange tombé du ciel. Dirigeant d'une main sûre tous nos services administratifs, de la fabrication au marketing des produits, il m'a laissé toute liberté pour motiver à temps plein notre effectif de vente. Tous deux formions — et formons toujours — une équipe imbattable. Je dépends chaque jour davantage de son expertise financière, à tel point qu'il s'occupe même de mon chéquier personnel.

Cela dit, et malgré l'indispensable soutien de mes deux fils, nombreux sont les oiseaux de malheur qui me suppliaient de renoncer à mon rêve. Personne ne nous accordait la moindre chance. Le souvenir et la confiance de ma mère ne me quittaient cependant jamais l'esprit; et chaque fois qu'un obstacle me paraissait insurmontable, je me répétais ces mots ancrés au plus profond de moi-même : « Tu y arriveras Mary Kay, tu y arriveras! »

Il n'empêche que ce rêve réalisé peut aussi s'expliquer par un concours de circonstances exceptionnelles. Au moins en partie. « La réussite des Cosmétiques Mary Kay est une divine surprise, observait un jour une amie, car elle a coïncidé avec un besoin naissant. » Ça me semble très juste. En 1963, on parlait encore très peu d'égalité financière et juridique pour les femmes, mais voilà qu'une

Compagnie leur offrait des possibilités qu'on leur avait toujours refusées. Dieu n'a certainement pas créé ce monde pour que les femmes y travaillent 14 heures par jour comme ma mère afin de nourrir leurs enfants. C'est pourquoi j'ai la conviction qu'Il m'a inspiré ce rêve à une époque bien précise. Et c'est en toute humilité que j'ai voulu Le servir en montrant la voie à d'autres femmes.

« Vous y arriverez! » : cette devise fait partie du quotidien des Cosmétiques Mary Kay. Et beaucoup de femmes qui se joignent à nous ont désespérément besoin de l'entendre. Il s'agit souvent de mères au foyer n'ayant jamais travaillé ou ayant quitté le marché du travail depuis longtemps et qui, par suite d'un divorce ou de la perte d'un conjoint, doivent se trouver un emploi. D'autres ont trimé dur dans un secteur d'activités où on ne leur a jamais adressé le moindre mot d'encouragement. Quoi qu'il en soit, elles ont souvent besoin de retrouver confiance et estime de soi.

« Vous y arriverez » : voilà donc ce que nous leur disons en tout premier lieu. Sans nous arrêter là, bien au contraire. Suivant notre philosophie, chaque femme qui se joint aux Cosmétiques Mary Kay est assurée d'être attentivement guidée tout au long de son parcours professionnel. Et suivant la Règle d'or, nos Directrices et Conseillères lui transmettront leur expérience et leur enthousiasme jusqu'à ce qu'elle réalise tout son potentiel. Au fur et à mesure qu'elle apprendra à déterminer puis à atteindre ses objectifs de carrière, elle gagnera ainsi en confiance dans tous les aspects de sa vie. C'est pourquoi les Conseillères Mary Kay à qui vous demanderez de parler de leur carrière vous diront souvent qu'il s'agit pour elles d'un mode de vie et non d'un simple gagne-pain.

Pour autant, nous ne nous attribuons aucun mérite dans la réussite de qui que ce soit. Nous observons chaque jour l'évolution de Conseillères timides ou inexpérimentées qui se transforment peu à peu en grandes professionnelles de la vente. Or, ce sont elles qui remportent ces victoires au quotidien. Nous leur avons simplement fourni l'encadrement et la motivation. Elles possédaient déjà tout le talent nécessaire pour réussir… sans toujours en être conscientes.

Hélas! la plupart des gens vivent et meurent sans avoir exploité leurs talents. Ils n'ont pas le courage d'essayer. Pourquoi? Par manque de confiance en soi. Les femmes, tout particulièrement, ont souvent un immense potentiel inexploité. Je songe notamment à Grandma Moses, une artiste géniale qui a entrepris la peinture à l'âge de 78 ans. Quand on lui a demandé ce qui expliquait cette vocation si tardive, elle a répondu qu'elle n'avait jamais osé s'y mettre. Quatre ans plus tard, ses tableaux étaient exposés au prestigieux *Metropolitan Museum of Art* de New York. On ne peut qu'imaginer l'œuvre prodigieuse qu'elle aurait accomplie si elle avait débuté plus tôt!

À mes yeux, le plus bel exploit des Cosmétiques Mary Kay réside dans l'épanouissement des innombrables femmes qui ont appris à croire en elles. J'en ai souvent connu qui semblaient discrètes et timides chrysalides, pour les retrouver quelques mois plus tard métamorphosées en superbes papillons, confiantes et fières des talents qu'elles avaient développés.

Encore tout récemment, une Conseillère disait : « À mes débuts chez Mary Kay, j'étais terrifiée de m'adresser à six invitées à la fois. Je ne pouvais m'imaginer donner un seul cours de soins de la peau. » Radieuse et souriante, elle parlait ainsi à un auditoire de 8 000 participantes à l'occasion de l'un de nos événements! Visiblement, on a bien fait de lui dire : « Vous y arriverez!»

Si vous visitez un jour notre siège social de Dallas, vous croiserez sans doute une femme portant une broche à diamants en forme d'abeille. Vous saurez qu'il s'agit d'une de nos championnes. Car chez Mary Kay, l'abeille symbolise une réussite optimale. Nous avons choisi ce symbole pour ce qu'il représente aux yeux des femmes. En effet, une équipe d'ingénieurs en aérodynamique a un jour étudié la morphologie de l'abeille pour conclure qu'il lui était scientifiquement *impossible de voler,* ses ailes étant trop faibles pour soulever un corps si lourd. Pourtant, il semble bien que notre Créateur lui ait soufflé ces quelques mots : « Allez, petite abeille, tu y arriveras! ». Et que cet encouragement l'ait convaincue de sa capacité de voler.

2

L'esprit de compétition

LA CONCURRENCE PEUT ÊTRE une grande source de motivation, mais elle est encore plus efficace lorsqu'on se fait concurrence à soi-même et qu'on apprend à tirer les leçons de ses erreurs.

Enfant, ma mère me répétait sans cesse : « Tout ce que les autres peuvent faire, tu peux le réussir encore mieux. ». J'ai entendu cette phrase si souvent que j'en suis venue à y croire vraiment. Maman accordait une grande importance à mes résultats scolaires et m'incitait à décrocher les plus hautes notes : pas question de me contenter de la moyenne! Je travaillais donc très fort pour ne pas la décevoir… et ne pas me décevoir moi-même. J'ai appris à me faire concurrence pour me surpasser. Je ne songeais pas à faire mieux que mes camarades de classe, mais à m'améliorer sans cesse. Bientôt, il m'a fallu exceller en tout. Je voulais vendre le plus grand nombre de billets pour la fête du mois de Ma ou de boîtes de biscuits pour notre camp scout, mais surtout, je voulais dépasser mes propres ventes de l'année précédente.

Cet esprit de compétition que ma mère m'a inculqué m'a beaucoup aidée dans les périodes creuses de ma vie professionnelle. Pour relever chaque défi qui se présentait, c'est à moi-même que je faisais concurrence. Je compilais tous les samedis mes ventes hebdomadaires en visant une légère augmentation. J'y parvenais souvent non parce que j'étais plus douée que d'autres, mais parce que j'y consentais de plus grands sacrifices : je voulais réussir et j'étais prête à payer le prix de cette réussite.

Bien entendu, je ratais parfois mon objectif. Heureusement, maman m'avait aussi appris à surmonter l'échec en me projetant dans l'avenir, en faisant mieux la fois suivante grâce à un surcroît d'effort. Je crois qu'il est très important que les jeunes comprennnent qu'ils ne peuvent « gagner à tout coup ». Il est tout simplement impossible d'être toujours premier. Quand je vois des parents pousser leurs enfants à la victoire (au baseball ou au hockey, par exemple), je prie pour qu'ils leur enseignent aussi à accepter la défaite. Lorsqu'on participe à une compétition, il faut savoir analyser ses erreurs pour se corriger et mieux faire la fois suivante.

L'une de mes expressions favorites, « Échouer aujourd'hui pour mieux réussir demain », montre que l'échec peut servir de tremplin au succès, à condition d'en tirer une leçon. Qui ne risque rien n'a rien, dit-on. En effet, il est facile d'éviter les erreurs si on n'entreprend jamais rien. Les gens qui réussissent osent entreprendre parce qu'ils osent affronter l'échec. Ils n'en ont pas peur. J'ai souvent dit aux femmes de notre Compagnie : « J'ai certainement les genoux plus meurtris que les vôtres, pour être tombée et m'être relevée tant de fois dans ma vie. »

Non, les débuts des Cosmétiques Mary Kay n'ont pas été éblouissants. Notre réussite actuelle est le fruit de nombreuses erreurs et déceptions, mais j'avais l'idée d'une Compagnie où chaque femme pourrait se dépasser en visant une réussite optimale. Depuis nos débuts, nous accueillons à bras ouverts toutes celles qui ont l'énergie et la détermination nécessaires pour vaincre les obstacles, et le courage d'accomplir leurs rêves.

En effet, je crois qu'on peut accomplir tout ce qu'on désire si on accepte d'en payer le prix. Dès l'enfance, j'ai appris qu'on peut obtenir une chose à condition de renoncer à une autre. À l'école, je sacrifiais ainsi une ou deux heures de sommeil pour mieux étudier. Quand j'ai débuté dans la vente, j'en sacrifiais quelques autres pour ranger la maison et prendre soin de mes enfants. Jeune maman au travail, j'ai renoncé en partie à ma vie sociale, sans amertume ni regret. Il n'y avait tout simplement pas assez d'heures dans une journée pour travailler, entretenir la maison, voir aux enfants, et qu'il en reste pour quoique ce soit d'autre. Je voulais pour ma petite famille un mode de vie plus agréable et une maison plus jolie dans un quartier où il fait bon vivre. Tous ces objectifs avaient un prix, mais mon esprit compétitif m'a fait voir que ça en valait la peine.

D'autant plus qu'on peut viser l'excellence tout en s'amusant beaucoup! Jeune élève, j'étais follement heureuse d'obtenir les résultats scolaires que ma mère attendait de moi. Et au secondaire, je me suis découvert avec joie de nouveaux talents pour la dactylographie, l'art oratoire et les débats contradictoires.

Mon premier grand défi, je l'ai relevé avec l'appui d'une enseignante, Madame Davis, qui m'avait pris sous son aile. J'étais déterminée à devenir la meilleure dactylo possible! Et je rêvais d'avoir ma propre machine à écrire, sachant toutefois que ça coûtait une fortune, mais comme par miracle, ma mère avait deviné mon vœu et m'a offert une machine *Woodstock.* J'ignore à ce jour où elle a trouvé l'argent pour verser l'acompte, et combien de temps il lui a fallu pour la payer. Elle faisait toujours tout en son pouvoir pour m'inspirer l'excellence et elle savait que cette machine à écrire me serait très utile. Il va sans dire que j'ai toujours été profondément attachée à cette bonne vieille *Woodstock*! Afin de remercier maman de ce sacrifice, j'ai redoublé d'efforts pour devenir une excellente dactylo. Comment vous décrire la satisfaction que j'ai ressentie quand, enfin, j'ai rapporté à la maison le trophée de la meilleure dactylo de ma classe!

Très jeune, j'avais aussi l'ambition de devenir une bonne oratrice. C'est un autre de mes professeurs qui m'a encouragée, puis encadrée au point où, avant la fin du 1er cycle du secondaire, j'obtenais le deuxième prix d'un concours oratoire organisé à l'échelle du Texas. Folle de joie, je me suis aussitôt inscrite aux ateliers de débat contradictoire de mon école, où j'ai aussi décroché quelques honneurs. Ces exploits d'adolescence m'ont grandement motivée à perfectionner mes talents d'oratrice. Encore aujourd'hui, je m'efforce de livrer des discours aussi vivants que possible en répétant chaque ligne de mon texte, et j'éprouve la même émotion avant de monter sur scène pour m'adresser aux milliers de participantes des événements Mary Kay. En fait, cette émotion est plus vive que jamais!

Cet encouragement de ma mère et de mes professeurs s'est ainsi révélé d'une importance capitale. Pourtant, en me rappelant mon enfance, je crois que c'est encore ma meilleure amie, Dorothy Zapp, qui a le plus fortement aiguisé mon esprit de compétition. À l'époque, je goûtais simplement le bonheur d'être son amie, mais je constate à présent que Dorothy m'a fait connaître un monde différent et emballant. Dans mon subconscient, j'ai dû comprendre que je pourrais y avoir une place si j'étais disposée à travailler pour l'obtenir.

Dorothy venait d'une famille aisée comparativement à la mienne et sa maison, à un coin de rue seulement de chez moi, était de loin la plus jolie du quartier. Dorothy portait toujours une tunique impeccable et soigneusement repassée (c'était avant l'invention des tissus sans repassage). Tous les matins, sa mère bouclait ses longs cheveux blonds jusqu'à ce qu'elle paraisse sortir d'un magazine. Et tous les matins, la petite Mary Kathlyn que j'étais attendait devant la maison de la toute belle et parfaite Dorothy que celle-ci vienne la rejoindre pour faire le chemin jusqu'à l'école.

Aujourd'hui encore, j'impute à ces matins chez Dorothy le fait d'avoir toujours été un peu rondelette. Dorothy était une enfant menue et fragile qui ne voulait jamais manger son petit déjeuner. Sa mère lui servait chaque matin des rôties tartinées de confiture de fraises et un verre de lait glacé, mais Dorothy me faisait tout avaler à sa place dès que sa maman avait le dos tourné. Il n'était pas question pour moi de gaspiller un tel festin, surtout en comparaison du sempiternel bol de céréales qui me tenait lieu de petit déjeuner!

Dorothy et moi partagions toutes les joies et les peines des fillettes de notre époque. Comme j'étais bonne élève, sa mère considérait que j'avais sur elle une bonne influence et j'étais toujours la bienvenue. Pour ma part, j'étais ravie d'avoir une copine comme Dorothy, dont l'amitié me valait de succulents petits déjeuners, des séjours à la ferme de ses grands-parents et de merveilleuses fêtes de Noël dans sa famille.

Les arbres de Noël de la famille Zapp comptent parmi mes plus beaux souvenirs d'enfance. Ils me semblaient gigantesques, frôlant un plafond très haut et illuminant toute la maison. Les décorations commerciales étant très rares à l'époque, on ornait les sapins de pommes et d'oranges, de maïs soufflé et de canneberges. Et chaque année, je croyais admirer le plus beau sapin de Noël au monde.

Sans m'en rendre compte, mon amitié avec Dorothy stimulait en fait ma compétitivité. Je sentais que sa mère comptait sur moi pour lui servir d'exemple, ce qui m'incitait à viser les plus hautes notes. Si Dorothy décrochait un A, il me fallait un A plus. Cette concurrence s'étendait aussi à d'autres domaines. La vente de billets pour la fête du mois de Mai, par exemple. Si elle vendait 12 billets, je me devais d'en vendre 20. Son amitié m'était si précieuse que je m'efforçais toujours d'être à sa hauteur, sans que cela ne nous empêche de tout partager, sans la moindre envie ou jalousie de part et d'autre.

À l'approche de notre bal de finissants, le père de Dorothy avait obtenu une promotion et acheté une maison plus grande dans le quartier chic de notre ville. J'en avais été si impressionnée que je me rappelle encore l'adresse : 4024, rue Woodleigh. Dorothy et moi nous sommes alors un peu perdues de vue, mais pour mieux nous retrouver quelques années plus tard et poursuivre une merveilleuse amitié.

Entre-temps, j'avais connu Tillie Bass, dont l'amitié me serait tout aussi précieuse. Comme Dorothy, Tillie venait d'une famille nettement plus à l'aise que la mienne. Son père était directeur du service de police de Houston et occupait à mes yeux une importante position sociale. Sachant qu'il me fallait préparer les repas de mon père et entretenir la maison, Tillie et sa mère m'ont en quelque sorte pris sous leur aile. Et Dieu sait qu'elles m'ont appris une foule de choses! Ma nouvelle amie étant un peu plus âgée que moi, je m'efforçais d'afficher le plus de maturité possible. Heureusement, elle n'a jamais attaché la moindre importance à notre différence d'âge.

Notre amitié s'est tout naturellement renforcée et m'a été d'un grand secours lorsque, jeune femme de carrière, je devais subvenir aux besoins de ma famille. Les garderies et maternelles n'existaient pas à l'époque, de sorte que les mères au travail devaient compter sur leurs proches et amies pour prendre soin de leurs enfants. C'est ainsi que Tillie, qui habitait juste en face de chez moi, s'occupait des miens lorsque j'étais en rendez-vous d'affaires. Au fil des ans, notre amitié a grandi. (Je disais à la blague que Tillie était devenue l'« épouse » qu'il me fallait toutes ces années où je luttais pour gravir l'échelle du succès. Je n'ai d'ailleurs jamais eu à expliquer cette blague à aucune de mes collègues féminines.)

Vers la fin de mes études secondaires, l'esprit de compétition s'était donc profondément enraciné en moi. J'étais première dans la plupart des matières, ce qui m'aurait sans doute valu de prononcer le discours de fin d'année de ma promotion si je n'avais décidé de faire mes deux dernières années en une en suivant des cours d'été. Mes études secondaires terminées, j'ai éprouvé pour la première fois un sentiment d'envie lorsque ma copine Dorothy a été admise à l'Institut Rice, un prestigieux collège auquel ma famille n'avait tout simplement pas les moyens de m'inscrire, d'autant que les bourses d'études étaient rares à l'époque.

Que faire alors pour rivaliser avec mes amies qui entamaient des études supérieures? Quelque chose d'exceptionnel, assurément! Et qu'est-ce qu'une jeune fille de 17 ans pouvait rêver de mieux à cette époque? Eh oui, le mariage! Mon fiancé jouait dans le groupe de musique *Hawaiian Strummers* qui remportait un succès fou à la radio. C'était une star locale, une sorte d'Elvis Presley, que tout le monde m'envierait sûrement. D'accord, je n'irais pas à l'université, mais j'aurais au moins de quoi nourrir mon orgueil et ma fierté!

Disons que pour une rare fois, mon esprit de compétition m'a joué un vilain tour, car je n'allais pas tarder à regretter ma décision. Nous avons fondé une famille, mais avant même de suivre mon mari à Dallas, où il avait des engagements, notre jeune couple était déjà en crise. C'est alors que la Seconde Guerre mondiale a éclaté. Mon mari enrôlé dans l'armée, je suis devenue pour mes enfants l'unique source de sécurité morale et financière, mais le pire m'attendait à son retour, quand il m'a annoncé son intention de divorcer. Le choc de ma vie! Je croyais avoir fait de mon mieux comme épouse et comme mère, et voilà que tout s'écroulait. J'étais anéantie.

Il n'était pourtant pas question de m'apitoyer sur mon sort; j'avais trois enfants à élever. Et pour cela, il me fallait vite trouver un emploi bien rémunéré dont l'horaire de travail soit vraiment flexible. C'était indispensable, car je voulais à tout prix conserver le maximum de disponibilité pour mes enfants. J'ai bientôt trouvé ce que je cherchais dans le secteur de la vente directe en devenant représentante chez *Stanley Home Products*.

J'aimais la vente, mais rien ne me stimulait davantage que les concours d'entreprise. Mon esprit de compétition faisait alors merveille. Je me rappelle surtout un concours qui m'a passionnée. *Stanley Home Products* allait couronner du titre de Miss Dallas la représentante qui totaliserait le plus grand nombre de recrutements en une même semaine. Il n'y avait aucun doute dans mon esprit, Miss Dallas devait porter le nom de Mary Kay.

Selon notre méthode de vente habituelle, nous organisions au domicile de nos « hôtesses » des démonstrations de produits auxquelles assistaient jusqu'à 25 invitées. Et comme il me fallait absolument vendre un maximum de produits pour payer mes factures, je tenais au moins trois de ces démonstrations par jour. Mais pour devenir Miss Dallas, je ne pouvais maintenir ce rythme tout en donnant priorité au recrutement de nouvelles représentantes. Je me suis donc fait remplacer par des collègues afin de concentrer toutes mes énergies sur le concours.

Comme bassin de recrues potentielles, j'ai aussitôt pensé à mon agenda qui débordait des noms et numéros de téléphone de mes anciennes hôtesses. Je me suis donc mise au travail en appelant chacune d'entre elles, y compris celles qui m'avaient déjà signifié leur absence d'intérêt pour cette carrière. Après tout, la vie est pleine de surprises! Je les ai donc *toutes* appelées!

Je me suis alors entraînée à présenter les choses comme suit : « Bonjour, Chantal. Mon entreprise cherche de nouvelles représen tantes dans votre région, et j'ai tout de suite pensé à vous. Je suis sûre que vous feriez un excellent travail. Avez-vous déjà envisagé ce genre de travail? »

Si on me répondait avec hésitation : « Hum, Mary Kay, pas vraiment non. »

J'enchaînais alors en disant : « Écoutez, je passe tout près de chez vous cet après-midi. J'aimerais beaucoup vous en parler quelques minutes et vous remettre une brochure à lire. Vers 14 heures, ça vous irait? »

J'ai donc consacré tous les matins de cette semaine-là à appeler mes anciennes hôtesses et à fixer des rendez-vous. En après-midi, je faisais un recrutement aussi dynamique que possible. J'ai finalement recruté 17 personnes en une semaine et gagné le concours! Je m'étais résignée à perdre beaucoup de commissions, mais j'en ai touché presque autant que d'habitude. La plupart des hôtesses ayant décliné ma proposition ont en effet profité de ma présence pour me commander les produits qui leur manquaient ou me parler d'une amie qui voulait être hôtesse!

Cela peut sembler anodin après toutes ces années, mais j'ai toujours conservé mon ruban « Miss Dallas ». Ce symbole de reconnaissance m'était tout aussi précieux que l'argent que je gagnais. Je me suis donc souvenue du facteur de reconnaissance comme source de motivation lorsque j'ai fondé la Compagnie de mes rêves. Travailler fort pour gagner sa vie, c'est bien, mais être pleinement reconnue pour ses efforts, c'est mieux! Désirant aussi privilégier les aspects positifs de l'esprit de compétition, j'ai évité les concours ne couronnant qu'une ou deux gagnantes, car c'est d'abord en rivalisant avec soi qu'on améliore sa productivité. Chez Mary Kay, tout le monde allait pouvoir gagner à la mesure de ses efforts!

À l'exemple de mon ruban « Miss Dallas », chaque entreprise crée ses propres symboles de réussite. J'ai déjà travaillé pour une entreprise qui remettait de minuscules « coupes de l'amitié » aux représentants qui vendaient plus de 1 000 dollars par mois. Comme vous pouvez l'imaginer, j'ai amassé quantité de ces mini coupes inutiles. J'en entassais des boîtes pleines dans un placard. Et l'unique plaisir qu'elles me procuraient était de répondre à ceux qui m'interrogeaient sur leur utilité : « Elles servent à se faire des amis, bien sûr! »

Je me suis ainsi jurée d'offrir un jour des cadeaux d'entreprise à la fois jolis et pratiques. Mary Kay est aujourd'hui mondialement réputé pour la valeur de ses « cadeaux symboliques » : voitures de carrière, manteaux de fourrure, voyages de rêve ou bagues à diamants. Cette tradition remonte à un programme que j'avais baptisé Club du gobelet d'or, grâce auquel toute Conseillère totalisant des ventes mensuelles de 1 000 dollars en gros recevait un splendide gobelet plaqué or. Celles qui en accumulaient 12 se voyaient remettre un plateau assorti, puis un élégant pichet lorsqu'elles en comptaient 20. Un magnifique et pratique ensemble pour la salle à manger!

J'étais folle de joie en confiant cette idée à mon fils Richard. « N'est-ce pas merveilleux? Il suffira à nos Conseillères de réussir des ventes de 1 000 dollars en gros pour recevoir ce joli gobelet! »

L'air incrédule, Richard m'a rétorqué : « Tu rêves, maman! Les meilleures ne vendent que 150 dollars par mois! Crois-tu vraiment qu'elles décupleront d'effort pour gagner ce ridicule gobelet? »

Il faut vous rendre compte qu'à l'époque, nous reconnaissions dans nos bulletins les Conseillères qui vendaient 100 dollars de produits par semaine. Et elles étaient au nombre de... cinq! J'ai quand même insisté en me rappelant le concours Miss Dallas. La reconnaissance est la clé de tout.

« Mais non, Richard, je suis persuadée que ce programme les motivera beaucoup! Elles voudront adhérer à ce club sélect pour obtenir un gobelet qui n'a rien de ridicule, soit dit en passant, et surtout le symbole de réussite qu'il représente. »

— « Tu as perdu la tête », m'a-t-il répondu. À ses yeux, personne au monde ne redoublerait d'ardeur pour gagner un gobelet, même plaqué or.

Elles ont pourtant été nombreuses à le faire, s'efforçant de briser leurs propres records de vente. Au bout d'un an ou deux, nous avons dû cesser de faire graver leur nom sur les gobelets, car il s'en gagnait beaucoup trop. Au bout de quelque temps encore, des Conseillères nous proposaient même de racheter les innombrables gobelets dorés qu'elles avaient accumulés!

Ce programme novateur a par la suite inspiré celui de l'Échelle du succès, qui repose aussi sur le principe d'« autoconcurrence ». Son symbole est une broche dorée en forme d'échelle, dont chaque barreau et ornement représente un niveau de réussite personnelle. Toutes nos Conseillères et Directrices la portent avec grande fierté, surtout lorsqu'elle est parsemée de diamants, puisqu'elle désigne alors nos championnes les plus performantes.

Chez Les Cosmétiques Mary Kay, nous nous efforçons donc de créer des concours dont toutes les participantes peuvent sortir victorieuses. J'ai trop vu de ces concours où l'on couronnait les trois premières; reléguant toutes les autres au rang de perdantes. J'ai d'ailleurs travaillé comme directrice nationale de la formation pour une compagnie de vente directe dont les douteux « concours de motivation » suscitaient entre employés une grande rivalité. J'avais à me déplacer de ville en ville pour faire la formation des représen tants, mais ceux-ci étaient tous à couteaux tirés. Je disais souvent qu'un habit en amiante me serait des plus utiles parce que je devais partout éteindre des feux avant de former qui que ce soit. On ne peut ni former ni motiver des gens qui se détestent au point de refuser tout travail d'équipe.

Dans ma Compagnie, on n'aurait jamais à dénigrer qui que ce soit pour gagner un concours. Cette forme de concurrence est totalement destructrice. Comme le disait Andrew Carnegie : « L'huître va au premier, la coquille au second. ». Les initiatives qui couronnent un seul gagnant peuvent plaire à certains, mais produisent trop souvent des effets négatifs. Chez Mary Kay, chacun peut gagner l'huître, la coquille… et la perle! En fait, nous allons plus loin en remplaçant la perle par des saphirs, des rubis et des diamants!

Aujourd'hui, Mary Kay, c'est bien plus qu'un passe-temps d'après-retraite ou le fruit de mes illusions. Le temps en a fait une merveilleuse Compagnie et, pour moi, l'accomplissement d'un rêve. Un rêve d'autant plus beau que des femmes s'en inspirent chaque jour pour réussir à la hauteur de leurs ambitions.

 3

La Compagnie de mes rêves

J'AI FAIT CARRIÈRE 25 ans dans un secteur dominé par les hommes. Et j'avoue qu'au lendemain de ma retraite, en 1963, l'idée de fonder ma propre entreprise ne m'avait jamais effleuré l'esprit.

Je m'étais cependant forgé quelques convictions sur la structure et le fonctionnement d'une entreprise qui permettrait aux femmes de surmonter les obstacles que j'avais rencontrés, d'où ma décision d'écrire un livre. Professionnellement, j'avais acquis une expérience dans la gestion du personnel et la formation à la vente. J'envisageais par conséquent de rédiger un guide à l'intention des femmes de carrière. J'ai d'abord dressé une liste des pratiques d'excellence que j'avais observées et des principes à suivre pour diriger une entreprise selon la Règle d'or, c'est-à-dire en traitant ses clients et employés comme on voudrait soi-même être traité, de manière à ce que tous et toutes en tirent également profit. Au fur et à mesure que ma liste s'allongeait, mon rêve d'une Compagnie qui permettrait aux femmes de faire valoir leurs compétences et leurs talents prenait forme. Une Compagnie où elles seraient reconnues et récompensées pour chaque objectif qu'elles auraient le courage, l'intelligence et la détermination d'atteindre.

« Ne serait-il pas merveilleux que quelqu'un, quelque part, fonde une telle Compagnie? ». Voilà ce que je me répétais sans cesse, jusqu'à ce que l'évidence me foudroie : plutôt que de me croiser les bras, je n'avais qu'à fonder moi-même cette Compagnie rêvée! Il me suffisait de trouver un produit que les femmes aimeraient vendre et acheter. Puis un soir, ce fut la révélation : j'utilisais depuis plusieurs années des produits de soins de la peau que j'adorais. Des produits de rêve pour une Compagnie rêvée.

Je les avais découverts au début des années 1950, à l'occasion d'une démonstration de *Stanley Home Products*. Devant moi se trouvaient une vingtaine de femmes de 19 à 70 ans. Et tandis que je présentais mes produits, je scrutais un à un leur visage, étonnée de la beauté de leur teint à des âges aussi variés. La pièce baignait dans la lumière légèrement vaporeuse des « ampoules roses » qu'on vendait à l'époque, et dont la publicité promettait d'enjoliver le teint des femmes. Cela seul ne pouvait pourtant expliquer le teint parfait qu'affichaient toutes mes invitées.

Ma démonstration terminée, nous nous sommes retrouvées dans la cuisine, autour d'un café. C'est alors que mon hôtesse s'est mise à distribuer des petits pots blancs à couvercle noir, dont les étiquettes étaient rédigées à la main. Tout en les distribuant, elle consultait un livret d'ingrédients en disant aux invitées : « Voyons, après deux semaines d'utilisation de la crème numéro trois, vous devez appliquer la crème numéro quatre pendant 17 jours. »

Était-ce là le secret de ces teints parfaits? Mon hôtesse ne m'en ayant donné aucun, je lui ai demandé ce qu'elle faisait. « En quelque sorte, m'a-t-elle répondu, ces femmes sont mes cobayes et je pense humblement avoir contribué à embellir leur teint. » Tous sauf le mien!

Examinant ma peau, elle y décèla quelques points noirs et les « signes d'un vieillissement de l'épiderme ». Pas très flateur, surtout devant autant de femmes, mais je savais qu'elle avait raison. C'est ainsi que je suis rentrée chez moi en possession d'une boîte à chaussures contenant les produits qui ont inspiré l'actuel Ensemble de soins de base pour la peau des Cosmétiques Mary Kay. Une boîte pleine de vieux flacons de médicaments et de petits bocaux recyclés qu'on avait remplis de crèmes, accompagnée d'un feuillet d'instructions truffé de fautes d'orthographe.

J'ai dû afficher un air incrédule en acceptant cet assemblage de produits, car les femmes qui m'entouraient m'ont unanimement vanté leur efficacité. C'est vrai, elles avaient toutes un teint radieux, mais je me disais que c'était trop beau pour être vrai et qu'on avait dû leur faire subir une sorte de lavage de cerveau.

J'ai attendu deux ou trois jours avant de faire l'essai des échantillons qu'on m'avait remis. Puis un après-midi, je me suis fait un masque… « Oh, maman, tu as la peau si douce! », s'est exclamé Richard, qui avait dix ans, en m'embrassant sur la joue à son retour de l'école. C'est alors que j'ai pensé tenir quelque chose d'important.

Je suis vite devenue une fidèle utilisatrice de ces étonnants produits de soins de la peau, dont j'ai voulu tout connaître de l'origine et de la composition. Mon ancienne hôtesse m'a expliqué que leurs formules lui venaient de son père, un tanneur de cuir! Celui-ci avait remarqué que ses mains paraissaient plus jeunes que son visage, pour conclure à l'action des solutions dans lesquelles baignaient ses mains toute la journée. Ces solutions de tannage, qui pouvaient en effet transformer un cuir rugueux en une peau souple et lisse, produisaient à l'évidence la même action sur les mains. Il en a un peu modifié la composition et a commencé à les appliquer sur son visage. Si bien qu'à sa mort, à l'âge de 73 ans, sa peau avait le tonus et l'élasticité de celle d'un homme beaucoup plus jeune.

Son intuition s'était révélée juste, mais aucune femme n'accepterait de suivre son exemple étant donné l'odeur nauséabonde du produit, l'étrangeté et la longueur du processus. Tout le monde jugeait d'ailleurs son idée ridicule, sauf sa propre fille. Entre-temps, celle-ci s'était installée à Dallas pour étudier la cosmétologie, où elle y acquit les connaissances nécessaires pour perfectionner les formules de son père de sorte qu'elles soient assez douces pour les peaux féminines; ces lotions et crèmes qu'elle m'avait fait découvrir dans sa cuisine. Au cours des quelques années suivantes, je suis retournée lui acheter ses drôles de petits pots en les faisant peu à peu connaître à mes proches et amies, y compris à ma mère, à l'Action de grâce, une année où elle avait été malade. Je m'étais rendue chez elle, à Houston, où je l'avais trouvée très inquiète du vieillissement de sa peau. Je lui ai laissé un peu des produits que j'utilisais : « Sait-on jamais, lui ai-je dit, ils ont fait merveille pour moi. Essaie-les. ».

Maman a entrepris un programme quotidien : crème de nuit, crème nettoyante, masque, rafraîchissant et fond de teint. Quand je l'ai revue à Noël, elle était conquise par l'efficacité des produits que je lui avais remis. Elle leur est par la suite toujours restée fidèle, si bien qu'à son décès, à l'âge de 87 ans, les gens lui donnaient rarement plus que la soixantaine.

C'est ainsi qu'en 1963, j'ai racheté aux héritiers du tanneur de cuir toutes les formules originales de ses produits, convaincue qu'en les présentant dans de beaux emballages, en élaborant pour les promouvoir un concept de marketing novateur et en travaillant à la sueur de mon front, je concrétiserais mon rêve de fonder une Compagnie à nulle autre pareille.

En matière de démarrage d'entreprise, la règle veut qu'on détermine avant tout des objectifs financiers, en prévoyant par exemple un chiffre d'affaires de 100 000 dollars au bout de la première année. On m'a donc souvent demandé quels étaient ces objectifs lors de la fondation des Cosmétiques Mary Kay. Et j'étonne souvent mes interlocuteurs en affirmant que je n'en avais aucun. Mon seul but était d'offrir aux femmes la possibilité de réussir à la mesure de leurs rêves et de leurs efforts. Bien plus que profits et pertes, je pensais épanouissement et potentiel.

Je m'étais remariée quelques années avant d'avoir l'idée de fonder ma Compagnie. Et jusqu'à ce que mon mari meurt d'une crise cardiaque, lui voyait à l'administration et au plan d'affaires, et moi au marketing et à la promotion des ventes. Il m'expliquait souvent la nécessité d'acheter nos produits à un certain prix pour les revendre plus cher. « Mary Kay, me répétait-il, on ne peut gagner de l'argent autrement. » Je l'écoutais d'une oreille plus que distraite. Toutes ces questions financières me laissaient indifférente. En 1963, je ne pensais qu'aux possibilités que je désirais offrir aux femmes. À l'époque, l'écrasante majorité des entreprises ignoraient totalement les talents de leur personnel féminin. Les plus talentueuses d'entre nous pouvaient tout au plus espérer devenir adjointe ou secrétaire de direction. En 25 ans, j'avais vu un nombre incalculable de personnes plafonner pour la seule raison qu'elles étaient des femmes.

J'ai moi-même goûté à cette médecine. Dans une grande entreprise où j'étais payée 25 000 dollars par année comme directrice nationale de la formation, j'assumais en fait les responsabilités beaucoup plus lourdes d'un directeur national des ventes au salaire nettement supérieur. Sans parler des nombreuses fois où j'ai dû former un représentant à qui j'apprenais tout du métier en six mois d'intense formation, et qui devenait sitôt après mon supérieur avec un salaire deux fois plus élevé. Je bouillais de rage lorsqu'on justifiait cette situation en prétextant qu'il avait une famille à nourrir. Comme si je ne devais pas subvenir seule aux besoins de mes enfants! L'intelligence d'une femme ne valait pas grand-chose dans l'univers masculin de l'époque. Encore plus insultant, ses idées étaient rarement considérées. Combien de fois a-t-on rejeté mes stratégies de marketing parce que « je pensais comme une femme ». J'enrageais en me jurant que, s'il m'arrivait un jour de fonder ma Compagnie, je ferais de ces « idées de femme » un atout de réussite sans précédent.

Je m'assurerais de surcroît d'y éliminer la pratique des territoires désignés en vigueur dans toutes les entreprises de vente directe où j'avais travaillé. Je me rappelais trop bien l'époque où, touchant des commissions mensuelles de 1 000 dollars, j'avais dû suivre mon mari à St. Louis où l'attendait un nouvel emploi. Ce déménagement m'avait fait perdre d'un coup tout ce que j'avais accompli en huit ans : commissions, clientèle, équipe de vente, etc. Une injustice flagrante dont a profité le représentant à qui on a donné tout ce que j'avais patiemment construit.

Il n'y aurait donc aucun territoire chez les Cosmétiques Mary Kay. Qu'elle soit en vacances à Hawaï ou en Californie, qu'elle vive à Cleveland ou rende visite sa sœur à Omaha, toute Conseillère pourrait librement faire du recrutement et toucher des commissions sur les achats en gros de ses nouvelles recrues. Supposons ainsi qu'une Conseillère de Cleveland fasse un recrutement alors qu'elle se trouve en visite chez sa sœur d'Omaha. La Directrice des ventes d'Omaha accueillera cette nouvelle recrue à ses réunions et l'encadrera en permanence pour qu'elle devienne une excellente Conseillère. Pendant ce temps, la Conseillère de Cleveland touchera normalement les commissions auxquelles elle a droit sur les achats de sa recrue. Ainsi fonctionne notre « Programme d'adoption ».

Et cette Conseillère recrutée à Omaha pourra à son tour recruter d'autres femmes : tant et aussi longtemps qu'elle-même et sa recruteuse de Cleveland resteront actives au sein de la Compagnie, cette dernière touchera une commission sur ses ventes.

Décrivez maintenant ce système à n'importe quel conseiller financier et on vous dira qu'il est voué à l'échec. Pourtant, il fonctionne on ne peut mieux. Les Cosmétiques Mary Kay compte des milliers de Directrices aux États-Unis dont la plupart travaillent dans plus d'un État et certaines même dans plus d'une douzaine. Or, chacune d'elles bénéficie des activités de vente de ses Conseillères d'autres États et, en échange, aide les Conseillères de sa région rattachées à des groupes d'ailleurs.

« Pourquoi former une Conseillère adoptée sans jamais toucher un sou de commission? C'est absurde! Je n'accepterais jamais d'aider votre Conseillère à se perfectionner pour que vous pro fitiez ensuite de ses commissions! » Voilà ce que disent souvent les détracteurs de notre programme d'adoption, mais nos Directrices des ventes ne raisonnent pas ainsi. Certaines comptent dans leur groupe jusqu'à 100 Conseillères adoptées qui réclament en effet une attention supplémentaire. Elles savent par contre que dans une autre ville, une Directrice se dévoue avec autant d'énergie pour aider ses propres Conseillères. En un mot, notre programme d'adoption a fait ses preuves. Je reconnais qu'il serait difficile à mettre en œuvre dans une entreprise existante, mais je crois qu'il s'implanterait parfaitement à l'étape du démarrage de n'importe quelle entreprise.

Ce système fonctionne parce qu'il repose sur la Règle d'or, ou ce que nous appelons aussi l'esprit d'entraide. Entre donner et recevoir, nous privilégions l'idée de donner sous tous ses aspects. L'esprit d'entraide nous sert, par exemple, à enseigner l'art des relations avec les clientes. Nous répétons sans cesse à nos Conseillères de ne jamais penser à ce qu'une cliente lui rapportera, mais aux moyens d'enrichir sa vie : « Que puis-je faire aujourd'hui pour aider cette cliente à se sentir mieux dans sa peau et à améliorer son image d'elle-même? » Voilà la question qu'elles doivent se poser. Car nous savons que la beauté extérieure favorise cette beauté intérieure qui inspire aux femmes le désir d'une vie meilleure pour elles-mêmes, leur famille et leur collectivité.

En fondant ma Compagnie, je voulais aussi créer une ambiance naturelle et décontractée qui incite nos clientes à faire l'essai de nos soins de la peau et teintes de cosmétiques avant d'acheter le moindre produit. J'avais depuis longtemps observé que la plupart des femmes ignorent pourquoi elles achètent un tel produit de soins de la peau et comment il répondra à leurs véritables besoins. Autrement dit, elles ignoraient comment prendre soin de leur peau. Le plus souvent, elles achetaient une crème de telle marque dans tel grand magasin, une lotion d'un autre genre à la pharmacie, pour ensuite les utiliser de façon tout à fait aléatoire. C'est ce que j'avais moi-même fait très longtemps, ce qui m'avait coûté des centaines de dollars en produits vite délaissés faute d'efficacité. Ce phénomène m'est donc apparu comme une merveilleuse occasion d'enseigner aux femmes la gamme complète des soins de la peau.

Pour ce faire, j'ai élaboré un concept de présentation (ou cours de soins de la peau) pour un maximum de cinq ou six femmes à la fois. D'autres entreprises de vente directe privilégiaient les groupes de 20 à 30 personnes, malgré les problèmes qui s'ensuivent : hôtesses inquiètes d'accueillir autant d'invitées et, surtout, absence de chaleur humaine. Or, je souhaitais que nos Conseillères apportent à chaque invitée une attention toute personnelle. Par petits groupes, il leur devenait possible d'évaluer les besoins de chacune et de répondre à toutes les questions. Elles sont à même de montrer aux femmes comment bien nettoyer leur peau, appliquer le rouge à lèvres pour obtenir une bouche plus pleine, créer un visage plus ovale à l'aide du fond de teint, etc. Ainsi nous sommes-nous spécialisés dans la personnalisation du processus de mise en beauté. Je voulais que chaque femme sorte d'un cours en sachant entretenir une peau en santé et mettre en valeur sa beauté naturelle au moyen de nos produits.

Nos méthodes ayant rapidement gagné en popularité, quelques grands magasins nous ont proposé de vendre nos produits à leurs comptoirs. Il n'en a cependant jamais été question. La plupart des femmes n'ont aucune envie de retirer leur maquillage dans un lieu public ou d'interrompre leurs achats pour une longue consultation. Et sans maîtriser les bonnes techniques d'application, on peut avoir l'air d'une vedette de cinéma en sortant d'un grand magasin, mais d'un vrai monstre en tentant de recréer ce look à la maison. Dans l'environnement familier d'une maison, les femmes peuvent apprendre à se maquiller devant leur propre miroir dans un éclairage naturel, et refaire correctement demain ce qu'elles ont appris aujourd'hui.

Il est tout aussi important de souligner qu'une femme à qui l'on a enseigné les soins de la peau se procurera seulement les produits répondant à ses besoins. Or, les cours de soins de la peau Mary Kay ont justement pour but d'enseigner et non de vendre. En fait, beaucoup de femmes viennent à nous parce qu'elles refusent de faire de la vente sous pression. Pas étonnant qu'elles partagent souvent deux traits de personnalité : elles aiment aider les autres et proposer de nouvelles idées. Toute Conseillère dynamique adore transmettre ses connaissances, endossant avec passion son rôle de « professeur » de soins de la peau. Cette philosophie éducative fait de nous l'une des rares compagnies à offrir une garantie de remboursement sans condition. Après tout, si vous faites l'essai d'un produit pour constater qu'il ne vous convient pas, vous venez quand même d'apprendre. C'est précisément ce que nous voulons, des consommatrices avisées.

Autre problème auquel ma Compagnie de rêve s'attaquerait en priorité : les délais de livraison pouvant atteindre deux à trois semaines. Personnellement, je suis trop impétueuse pour patienter si longtemps! Si je veux quelque chose, je le veux tout de suite. Trois semaines d'attente m'enlèveront jusqu'au souvenir du pourquoi de mon achat. Or, ces problèmes de distribution sont particulièrement graves chez les entreprises de vente directe offrant des centaines de produits. Aucune Conseillère en soins de beauté indépendante ne peut maintenir de tels stocks et assurer une livraison rapide. C'est pourquoi la philosophie Mary Kay consiste à se limiter aux produits cosmétiques et aux soins de la peau indispensables. Nous incitons toutes nos Conseillères à prendre et à livrer leurs commandes le jour même d'une présentation de vente. Libre à chacune d'avoir en réserve des stocks plus ou moins importants, mais celles qui en conservent de bonnes quantités remarquent que leurs clientes sont plus enclines à acheter des produits qu'elles peuvent aussitôt rapporter chez elles.

J'ai commencé ce chapitre en réaffirmant mon désir d'offrir aux femmes la chance de réaliser pleinement leur potentiel. Stratégies de marketing dynamique, barème de commission révolutionnaire, création de produits novateurs et réseau de distribution efficace constituaient les éléments essentiels de mon plan, mais aucun de mes rêves ne s'accomplirait si nous n'avions pas une solide politique fiscale. Oui, je parle ici d'argent. Il me fallait assurer la sol vabilité d'une Compagnie offrant le meilleur barème de commission possible. Ma solution : privilégier les transactions au comptant. L'endettement était le premier facteur d'échec des entreprises de vente directe que j'avais connues. Beaucoup d'excellents représentants quittent d'ailleurs le secteur non parce qu'ils sont malhonnêtes, mais parce qu'ils ne savent pas gérer leurs revenus.

Chez nous, les Conseillères et Directrices paient à l'avance chaque article de leurs commandes par chèque certifié, mandat-poste ou carte de crédit (MasterCard ou Visa). Nous refusons les chèques personnels non par méfiance, mais par adhésion aux sages valeurs du système capitaliste américain de libre-service de gros. Aucune Conseillère ne pouvant donc accumuler de dettes, nous avons très peu de frais liés aux comptes fournisseurs et aucuns liés au recouvrement. Mieux encore, tout le monde profite de ce principe, car les sommes économisées servent à financer de meilleures commissions. Chaque Conseillère Mary Kay étant une entrepreneure indépendante, nous les encourageons ainsi à gérer leur entreprise de la même façon.

La plupart des experts financiers s'émerveillent de ce système, absolument unique parmi les entreprises de notre importance. Mon comptable s'était pourtant récrié à l'examen de mes plans de distribution et de commissions : « Rien à faire, ça ne fonctionnera jamais. Vous ne pouvez exiger de l'argent comptant pour ensuite toucher une si faible part des revenus produits. Vous courez à la catastrophe. » Mon fils et nouvel associé Richard avait cependant prévu tous les détails et se disait convaincu de notre réussite. Moi aussi d'ailleurs!

Mon comptable n'était pas seul à me prédire la catastrophe. Il y avait mon avocat, bien sûr, et une foule de gens bien intentionnés. Car enfin, personne n'avait jamais entendu parler d'une Compagnie gérée selon la Règle d'or! Cet avocat avait même fait venir de Washington, D.C., un dépliant répertoriant chaque année les nombreuses faillites d'entreprises de cosmétiques. « Mary Kay, me répétait-on de toutes parts, vous rêvez en couleurs! »

Oui, je rêvais, et c'est grâce à ce rêve que Les Cosmétiques Mary Kay a pris son envol. Quand j'ai entrepris la rédaction du manuel qui donnerait forme à mon rêve, c'est à n'en pas douter Dieu qui guidait ma main. À travers moi, Il offrait aux femmes du monde entier une Compagnie où elles-mêmes pourraient accomplir leurs rêves. Au lieu de portes closes indiquant « Pour hommes seulement », les portes de cette Compagnie seraient grandes ouvertes et surmontées de cette bannière : « Bienvenue à tous, aux femmes tout particulièrement ».

4

Les premières années des Cosmétiques Mary Kay

C'EST DEVENU LA TRADITION, à l'Action de grâce, de tous nous réunir chez moi pour un souper de famille. Il y a quelques années, je me préparais ainsi à recevoir pas moins de 53 invités quand je me suis aperçue que mon four ne pourrait contenir les deux énormes dindes que j'avais achetées. J'aurais pu en faire cuire une la veille et utiliser mon four micro-ondes, mais je préférais en offrir deux tout aussi délicieuses et fraîchement rôties.

Je me suis alors rappelée que j'avais dans mon garage une vieille rôtissoire. Après l'avoir dépoussiérée, j'ai eu la surprise d'en constater l'excellent fonctionnement. « Dieu merci, ai-je songé, Vous ne me laisserez jamais tomber! ». Puis, soudain, de merveilleux souvenirs ont refait surface : cette rôtissoire m'avait servi en 1964 à préparer le repas du Séminaire du tout premier anniversaire de notre Compagnie!

Tout en la récurant à fond, je me suis surprise à rêver un peu. Cette époque me semblait si lointaine! Pourtant, elle remontait à quelques dizaines d'années seulement. « Nous avons fait un sacré bout de chemin! », ai-je dit en m'adressant à ma bonne vieille rôtissoire.

Les Cosmétiques Mary Kay avait en guise de premier siège social un local de 50 mètres carrés, au rez-de-chaussée d'un grand immeuble de Dallas abritant une banque et des bureaux, l'*Exchange Park*. Comme je l'ai dit, c'était le vendredi 13 septembre 1963, soit un mois jour pour jour après le décès de mon mari. J'avais investi ce qui me semblait une fortune (5 000 dollars) en formules, petits pots et matériel de bureau, pour me lancer tête baissée dans l'aventure. Et quelle aventure!

Richard et moi fondions de grands espoirs sur cet emplacement. L'*Exchange Bank* en occupait l'essentiel du rez-de-chaussée, diverses entreprises logeant aux étages supérieurs. On y dénombrait aussi plusieurs petits commerces dont un café, une pharmacie et un restaurant. Notre local donnait sur une allée qu'empruntaient chaque jour les 5 000 femmes travaillant un peu partout dans ce vaste complexe. Nous avions la certitude d'attirer bon nombre d'entre elles, qui passaient soir et matin devant chez nous. Et de fait, elles ont passé et repassé des semaines durant... sans jamais s'arrêter. Le matin, elles couraient au travail, et le soir, se pressaient de rentrer à la maison. Nous avions pour seul atout les deux pauses-café de la journée. Bientôt, nous avons appris à donner les séances de soins du visage les plus rapides du monde. Nous asséchions même les masques à l'aide d'un ventilateur électrique!

Nous n'avons jamais perdu espoir. Et franchement, nous avions prévu qu'il serait difficile d'intéresser les femmes à une gamme de cosmétiques parfaitement inconnue. « J'utilise depuis longtemps les produits de telle marque et j'en suis très satisfaite » : voilà ce qu'elles nous répondaient le plus souvent. Il nous fallait trouver une astuce, et j'ai pensé offrir des perruques personnalisées. En 1963, les perruques connaissaient une vogue inouïe. Je me suis rendue en Floride suivre une formation intensive et j'en suis revenue avec un stock de perruques en cheveux véritables de grande qualité. C'était quitte ou double. En cas d'échec, il nous faudrait chercher un emploi et travailler pour un patron jusqu'à la fin de nos jours.

Richard a eu l'idée d'une inauguration très chic. Nous avons embauché une styliste réputée, *Renée de Paris*, pour recoiffer chaque perruque au goût de chaque cliente. Pendant ce temps, un joli mannequin servait le champagne. J'avais beaucoup hésité : alcool et sex-appeal n'étaient pas vraiment mon truc, mais je me suis rangée à l'avis de Richard. J'étais vieux jeu, très certainement, et il fallait être moderne! Évidemment, le charme féminin de notre mannequin a suscité un vif intérêt... parmi les hommes de l'immeuble! Nous avons malgré tout vendu aux femmes qui se sont présentées une douzaine de perruques, artistiquement recoiffées par notre styliste. Les brunes ressortaient bien entendu avec une perruque blonde, et inversement.

Nous étions enchantés de ce petit succès. Jusqu'au lundi matin, où nous avons compris qu'une perruque doit plutôt s'harmoniser à la couleur naturelle des cheveux pour passer inaperçue et convenir au teint des femmes trop pressées pour se coiffer chaque matin. Nous avions commis une grave erreur. Par manque d'information, nous vendions à nos clientes tout ce qu'elles désiraient sans savoir les conseiller. Ce lundi matin, plusieurs ont donc voulu se faire rembourser après avoir essuyé les blagues de leur entourage : « On dirait Boucle d'or, mais à quoi as-tu pensé! ». Notre promotion ne prévoyait aucune politique de remboursement, mais nous avons honoré chaque demande.

Il va sans dire que nous avons aussitôt rajusté le tir. Plus aucune femme ne quittait les lieux sans nos judicieux conseils et sans être convaincue de la justesse de son choix. De sorte qu'au bout d'un certain temps, notre promotion a rempli toutes ses promesses. Nos perruques attiraient de plus en plus de femmes, qui se procuraient par la même occasion quelques produits cosmétiques. Nos Conseillères en soins de beauté faisaient par ailleurs admirer leurs perruques en fermeture de cours, ce qui causait toutefois certains problèmes. Il leur fallait en effet en transporter beaucoup pour que chaque invitée puisse trouver celle qui lui convenait. Or, ces perruques de grande qualité étaient fragiles et nécessitaient des soins très attentifs.

Elles ont tôt fait d'occuper trop de place. Nous les coiffions et les rangions dans la pièce arrière, désormais encombrée de rouleaux et de séchoirs. Nous recevions nos clientes dans la pièce du devant, toujours joliment décorée, mais le « bazar à perruques » de l'arrière nous privait d'un lieu d'entreposage. L'unique solution : louer ailleurs un espace de rangement. Nos problèmes ne faisaient que commencer, car pour s'y rendre nous devions traverser le centre, marcher l'équivalent d'un demi pâté de maison, descendre une volée de marches et parcourir encore quelque 100 mètres une fois au sous-sol. Une bonne trotte, ma foi. Si bien que Richard, chargé de la tenue de livres, mais aussi de l'approvisionnement, devait littéralement courir jusqu'à l'entrepôt lorsqu'une cliente faisait un achat.

Toujours tiré à quatre épingles (j'avais insisté pour qu'il s'habille en homme d'affaires malgré ses airs d'adolescent), il prenait ainsi bonne note de la commande : « Parfait, madame, je reviens à l'instant. » Puis il s'éclipsait discrètement, retirait son veston et desserrait sa cravate tout en sprintant vers la sortie de l'immeuble. À l'entrepôt, il assemblait la commande en vitesse, renfilait son veston et resserrait sa cravate avant de s'élancer pour le sprint du retour. Avec courtoisie, mais quelque peu haletant, il tendait enfin à sa cliente le sac de produits qu'elle avait attendus sans avoir le temps de s'impatienter. Cette situation est bientôt devenue intenable avec l'expansion de notre jeune Compagnie. Les responsabilités administratives de Richard s'alourdissant de jour en jour, Ben, son frère aîné, est venu à sa rescousse. C'est ainsi qu'il a débuté au sein de la Compagnie, en assurant la gestion de notre entrepôt. Dorénavant, il nous suffisait de lui passer les commandes par téléphone.

Début 1965, Richard explose : « J'en ai marre de ces perruques, il faut s'en débarrasser! » Je l'avoue, ça devenait franchement ridicule. Nous estimions qu'une Conseillère consacrait huit heures de son temps à vendre une seule perruque. Elle devait venir une première fois avec la cliente pour le choix et l'essayage de la perruque, et revenir chercher la perruque une fois prête, ça n'en finissait plus. La décision s'imposait. Nos Conseillères ont redonné la vedette à nos produits de soins de la peau, et nos ventes ont bondi de 20 000 dollars dès le mois suivant.

Nous formions d'ores et déjà une entreprise familiale, qui s'est bientôt enrichie de l'arrivée de ma fille Marylyn. Deux mois après l'ouverture, je lui avais rendu visite à Houston et remis notre joli coffret de produits. Aucun manuel d'instructions, seulement le coffret : « Essaie d'en faire quelque chose », lui ai-je proposé. Ces produits, elle les utilisait bien sûr de longue date, et je n'avais pas à la convaincre de leur efficacité. Tout en s'occupant de ses enfants, Marylyn est rapidement devenue Directrice des ventes, l'une des toutes premières et des plus performantes. Elle est restée quatre ans parmi nous, jusqu'à ce que des maux de dos la contraignent à s'arrêter, mais je suis persuadée qu'elle aurait atteint les plus hauts sommets s'il en avait été autrement.

Mes neuf premières Conseillères, toutes des amies, croyaient très fort en notre réussite. J'aurais adoré recruter quelques femmes de notre secteur, dont certaines étaient sans doute plus expérimentées, mais je m'étais interdit d'approcher toute représentante d'autres entreprises de vente directe. Notre toute première Conseillère, Dalene White, avait travaillé avec mon mari et s'est jointe à nous par amitié. Aujourd'hui Directrice nationale des ventes, elle touche des revenus faramineux. Elle a d'ailleurs été l'une de nos premières « millionnaires Mary Kay », expression désignant les Directrices nationales dont les commissions en carrière dépassent le million de dollars. À ce jour, pas moins de 74 femmes ont été « millionnaires Mary Kay », dont 27 multimillionnaires. Pas mal pour une Compagnie fondée sur l'« espoir et la prière », non?

Certaines de ces premières Conseillères ne prévoyaient rester qu'un certain temps. Il faut croire que mon enthousiasme les a convaincues de rester! D'autres femmes avaient bien sûr décliné mon invitation, l'air désolé de me voir courir à l'échec. Rétrospectivement, direz-vous, elles ont sûrement fait erreur. Or, je les comprenais parfaitement car rien n'indiquait que nous avions les moyens de nos ambitions. Tout en était au stade expérimental, mais nous avons persévéré et redoublé d'ardeur et persévéré encore, sans jamais perdre de vue les principes de la Règle d'or.

Tout gestionnaire doit avoir une « expérience de terrain » pour motiver son effectif de vente. Au début, je donnais donc des cours de soins de la peau… pour constater qu'on appréciait diversement ma présence. « Cette Compagnie vous appartient, s'étonnait-on, et vous voici chez moi à donner un cours? Ce doit être une Compagnie minuscule! ». Selon toute apparence, on en déduisait que nos produits ne pouvaient être que médiocres. J'adorais animer des cours, mais suivant ma propre expérience et les propos que me rapportaient nos Conseillères, j'ai dû reconnaître qu'il valait mieux que je m'en abstienne. Je me suis plutôt concentrée sur l'uniformisation de nos méthodes de présentation et de formation.

En ces premières années, j'ai notamment élaboré un manuel d'instructions destiné aux Conseillères. J'y ai travaillé d'arrache-pied pour un résultat qui me semblait formidable : une brochure de cinq pages dont une « Lettre de bienvenue »! Aujourd'hui, le Guide des Conseillères en soins de beauté Mary Kay totalise plus de 200 pages, s'étant enrichi au fil des années des connaissances de nos Directrices les plus performantes.

En matière de produits, nous avons débuté par l'Ensemble de soins de base pour la peau, composé de la crème nettoyante, du masque magique, du rafraîchissant pour la peau, de la crème de nuit et du fond de teint Day Radiance. Ces flacons et petits pots ont circulé dans tous les cours de soins de la peau, jusqu'à ce que nous soyons mieux avertis des questions d'hygiène publique et des risques de contamination. Nos invitées y plongeaient en effet les doigts avant de tendre le pot à leur voisine! Avec le recul, j'ai peine à imaginer tant d'imprudence de notre part.

Nous avons toujours cru à l'action combinée de ces cinq produits pour soigner et embellir la peau, mais au début, nous étions moins rigoureux et les vendions séparément. Résultat : certaines clientes nous appelaient au bout de quelques mois pour nous faire part de leur déception. Nous divisions même les contenants de fond de teint, qui réunissaient alors divers coloris et une base jaune pour dissimuler les imperfections. Selon la demande, nos Conseillères répartissaient au couteau les teintes que désiraient deux ou trois clientes, emballaient chaque morceau dans du papier sulfurisé et faisaient tirer au sort le contenant lui-même. Je frémis d'horreur à l'idée que nous procédions de la sorte, mais c'était le cas. La clé réside évidemment dans l'action combinée de nos produits. Autant préparer un gâteau au chocolat en omettant le chocolat ou le sucre! Par exemple, un masque qui n'est pas précédé d'un nettoyage en profondeur ni suivi du rafraîchissant risquera de dessécher la peau. Finalement, nous avons compris l'importance de vendre l'ensemble dans sa totalité, et pas autrement. Mieux valait essuyer la colère de la cliente que de la voir obtenir de piètres résultats.

Outre l'ensemble de base, notre gamme initiale offrait quelques articles beauté : rouges à lèvres, fards à paupières et fards à joues, mascaras et crayons à sourcils. Le jour de notre ouverture, j'avais disposé la totalité de notre gamme sur une petite étagère achetée chez *Sears* au prix de 9,95 dollars. Aujourd'hui, cette gamme totalise une centaine de produits (sans parler des innombrables teintes), et une Conseillère dispose probablement de stocks plus importants que tout ce que la Compagnie avait à ses débuts.

Nos produits étaient formidables, nous l'avons toujours su, mais nous savions aussi qu'il nous faudrait les perfectionner sans cesse. Et c'est ce que nous avons fait. À l'heure actuelle, nous investissons en recherche des millions de dollars pour améliorer, élargir et raffiner notre gamme de produits. Nous avons donc maintenant des formules pour tous les types de peau, suivant une démarche de personnalisation qui a fait notre réputation. Et nous enseignons leur application de manière à ce que chaque femme profite de leur action optimale.

À l'origine, c'est un fabricant de Dallas qui assurait notre production. Le propriétaire de cette entreprise avait une excellente réputation dans le secteur des cosmétiques, et je recherchais quelqu'un de fiable et d'intègre. Je lui ai remis nos formules, qu'il a calmement transmis à son fils, responsable des opérations. En constatant la minceur de ma commande, sans doute croyait-il ne jamais me revoir. Je lui ai cependant passé une deuxième commande, puis une troisième, et ainsi de suite. Quelques années plus tard, je lui ai proposé la direction de nos propres opérations!

Richard, Ben et moi consacrions 16 à 18 heures par jour au démarrage des Cosmétiques Mary Kay. Nous nous partagions à peu près toutes les tâches : assemblage et emballage des commandes, rédaction et impression de bulletins, etc. Parfois jusqu'à deux heures du matin, mais ce dur labeur a porté fruit. Après trois mois et demi, nous avons enregistré un léger profit sur des ventes de

34 000 dollars. Au terme de la première année, notre chiffre d'affaires s'élevait à 198 000 dollars. Un an plus tard, nous avons atteint les 800 000 dollars. C'était inespéré!

En 12 mois, nous avons pris une telle expansion qu'il nous a fallu de nouveaux locaux. Notre siège social s'est donc transporté au 1220, Majesty Drive. Nous avions désormais trois vrais bureaux (pour Richard, Ben et moi-même), une salle de formation et un immense entrepôt. Cinq cents mètres carrés en tout! À mes yeux, c'était le Grand Canyon! Et tous nos stocks à portée de la main, sans besoin de courir à perdre haleine.

Puis vint le 13 septembre 1964, date de notre premier congrès, aussitôt baptisé « Séminaire ». Notre Séminaire annuel est aujourd'hui un événement spectaculaire (je décrirai plus loin les étapes de cette évolution), mais celui-ci s'est déroulé dans nos nouveaux locaux de Majesty Drive (en vérité, nous ne pouvions nous offrir un prestigieux hôtel). Notre enthousiasme n'avait d'égal que le minceur du budget dont nous disposions. En guise de décoration : des ballons et des guirlandes de papier crêpe. Au menu, du poulet, de la farce aux piments *jalapeno* et du *Jell-O* aux fruits, servis dans des assiettes cartonnées qui se déchiraient au moindre coup de couteau. Une semaine auparavant, j'ai donc rôti et désossé du poulet pour 200 personnes, préparé la farce et congelé le tout. Le jour venu, j'ai tout fait réchauffer dans ma vieille rôtissoire. Tout s'est bien passé jusqu'au dessert. J'avais oublié que le mois de septembre à Dallas est toujours très chaud, et que mon *Jell-O* garni de fruits ne résisterait pas à cette chaleur. Au moment de le servir, il avait tout fondu! Quoi qu'il en soit, Richard avait engagé un trio musical, et Ellen Notley, une Directrice de Tyler, au Texas, avait préparé un énorme gâteau orné des mots « Heureux premier anniversaire ». Oui, cette première année avait été des plus heureuses : la famille des Cosmétiques Mary Kay comptait déjà 200 personnes exceptionnelles!

Après ce repas, j'ai animé notre première Soirée de Gala. Sans prétention, mais avec une joie et une émotion extraordinaires. Je garde toujours copie de mes discours pour m'en inspirer au besoin. Et j'ai récemment relu ceux que j'avais prononcés à l'occasion de quelques Séminaires. Je conclus souvent par cette formule : « L'an prochain, notre effectif de vente devrait totaliser… ». Or, dans le discours de cette toute première Soirée de Gala, j'avais annoncé qu'il totaliserait 3 000 Conseillères dès l'année suivante. Je me rappelle avoir établi ce chiffre d'après les prévisions de Richard, qui me semblaient d'ailleurs follement optimistes. L'année suivante, ce chiffre était de 11 000! Et ce fut bientôt 40 000. Aujourd'hui, des centaines de milliers de Conseillères en soins de beauté enseignent aux femmes le système des soins de la peau Mary Kay. Et comme notre croissance se poursuit, je devrai laisser un espace pour y entrer les plus récentes données au crayon.

Cette croissance s'accompagne d'ailleurs de nombreux changements. Chose certaine, ma vieille rôtissoire ne suffirait plus à la tâche de nourrir les dizaines de milliers de femmes qui assistent à nos Séminaires. Mais je peux vous assurer qu'elle reste imbattable pour rôtir ma dinde de l'Action de grâce.

5

L'enthousiasme Mary Kay

CHANTER EN CHŒUR rapproche les gens. J'ignore pourquoi, mais c'est comme ça. À l'école, ne chantiez-vous pas en groupe pour encourager votre équipe préférée? Cette solidarité, ce désir d'être ensemble pour réussir quelque chose d'important, voilà ce qu'on appelle l'esprit d'équipe.

Quand je travaillais chez *Stanley Home Products,* nous entonnions diverses chansons avant et pendant nos réunions de vente pour renforcer cet esprit d'équipe. Je suis ensuite allée travailler chez *World Gift*, où cet esprit faisait cruellement défaut. Tout le monde semblait manquer de chaleur humaine. Pour briser la glace, j'ai créé un concours de chansons. Les employés en ont proposé plusieurs dizaines. Nous avons adopté les meilleures et, peu à peu, tout l'effectif de vente a retrouvé sa motivation.

J'ai fait de même en fondant les Cosmétiques Mary Kay. Nous avons lancé un concours et choisi les chansons suscitant le plus d'enthousiasme pour les chanter ensuite au Séminaire.

Ces chansons étaient toutes d'entraînantes mélodies dont nous remplacions les paroles par nos propres mots. La plus populaire vantait l'enthousiame si particulier qui règne chez Mary Kay. Nous la chantions si souvent qu'elle est plus ou moins devenue notre hymne officiel.

Traditionnellement, nos réunions de groupe ont lieu le lundi soir. L'enthousiasme y joue un grand rôle. Pour la plupart des gens, le lundi marque la fin d'un week-end reposant et le début d'une bonne semaine de travail. Ou moins bonne, selon les circonstances. C'est pourquoi nous répétons à nos Conseillères : « Si votre semaine a été mauvaise, votre réunion de groupe vous rendra votre énergie. Si elle a été bonne, votre énergie dynamisera votre réunion de groupe. » En faisant le plein chaque lundi d'enthousiasme et de motivation, nos Conseillères abordent leur semaine avec une confiance indispensable à leur réussite.

Il en va de même pour l'influence des parents. Une maman qui se lève d'humeur maussade transmettra celle-ci à toute sa famille. En quittant la maison pour le travail ou l'école, mari et enfants afficheront une mine dépitée. Même sans être au meilleur de leur forme, les mamans devraient donc s'efforcer chaque matin de sourire en disant « Bonjour, comment vas-tu? » avec enthousiasme. On leur répondra sur un ton joyeux qui leur rendra sûrement leur bonne humeur. Car l'enthousiasme a ceci d'extraordinaire qu'il est contagieux, y compris pour soi-même. Je crois profondément qu'en agissant avec enthousiasme, vous devenez enthousiaste! Non seulement pour la journée, mais pour la vie.

En témoigne, cet exemple amusant d'une personnalité de marque à qui nous avions demandé de s'adresser à un vaste auditoire de Directrices et de Conseillères en soins de beauté. Le jour venu, son avion avait du retard et j'ai improvisé quelques phrases au micro en attendant son arrivée. Finalement, on m'a fait signe qu'il se trouvait dans les coulisses.

J'ai donc entrepris de le présenter en faisant son éloge et en résumant les hauts faits de sa carrière. Pendant ce temps, je le voyais du coin de l'œil se frapper la poitrine et sautiller bizarrement. On aurait dit un gorille! C'est affreux, ai-je pensé. Je fais l'éloge de cet homme et voilà qu'il vient de perdre la raison! Je n'avais jamais vu personne se comporter d'une façon aussi étrange.

Ma présentation terminée, il s'est précipité sur scène et a prononcé un discours génial qui a soulevé d'enthousiasme toutes les participantes. Plus tard, alors que nous étions assis ensemble pour manger, je lui ai dit : « Vous m'avez affolée. Que faisiez-vous en coulisses, à sautiller comme vous le faisiez? »

— « Chère Mary Kay, je suis un motivateur professionnel. Certains jours, je n'ai aucune envie de motiver qui que ce soit. C'était le cas aujourd'hui. Le retard de mon avion m'avait complètement abattu. J'étais épuisé et à bout de nerfs. Vous m'aviez cependant engagé pour faire un discours vibrant et passionné. Et pour retrouver mon entrain, j'ai l'habitude de faire quelques exercices et de me battre la poitrine. Ça me fait un bien immense! »

Il a retrouvé son enthousiasme au moyen d'une technique extérieure, mais il est intéressant de noter que le mot enthousiasme vient d'un mot grec signifiant « Dieu en soi ». Et de fait, certains semblent puiser en eux cette capacité de s'enthousiasmer. On pourrait même parler de talent naturel. Je suis d'ailleurs persuadée que Dieu a voulu que j'en fasse mon principal atout de réussite quand j'ai commencé dans la vente.

Ce don de l'enthousiasme, j'en ai appris les vertus lorsque j'étais jeune mère de famille. Jamais je n'avais songé à faire carrière dans la vente lorsqu'une représentante du nom d'Ida Blake a sonné à ma porte. Elle vendait une série de contes éducatifs pour enfants intitulée *Child Psychology Bookshelf.* Chaque conte exposait un problème de la vie courante, sa solution et la morale qui en découlait. Soucieuse d'enseigner à mes enfants la différence entre le bien et le mal, j'ai pensé qu'ils me seraient d'une grande utilité. Hélas! je n'avais pas un sou. Constatant mon intérêt, Ida m'a laissé toute la série pour le week-end. J'en ai dévoré chaque page. C'est à regret je l'ai rendue à Ida le lundi matin, en lui promettant de la rappeler lorsque j'aurais économisé la somme voulue.

Devant mon enthousiasme, elle m'a proposé ceci : « Si vous parvenez à vendre dix séries de ces livres, vous pourrez en conserver une pour votre petite famille. ». Emballée, j'ai aussitôt contacté mes amies, mes proches et mes élèves de l'école du dimanche de l'église baptiste du Saint-Tabernacle. Seul problème : je n'avais pour les convaincre aucun livre à leur présenter.

Je les ai décrits avec un tel enthousiasme que j'ai vendu mes dix séries en moins de deux jours. Ida n'en croyait pas ses oreilles lorsque je lui ai annoncé la nouvelle! Je lui ai même remis une liste de clientes qui n'attendaient que sa visite pour lui en commander. « Comment avez-vous fait? s'est-elle étonnée. Ces livres sont difficiles à vendre. »

Je n'en avais aucune idée, mais j'étais ravie d'avoir ma série.

Ida ne s'est pas arrêtée en si bon chemin : « J'aimerais beaucoup que nous travaillions ensemble! Possédez-vous une voiture? »

— « Oui, mais je ne sais pas conduire… »

Nous avions en effet une vieille voiture déglinguée que mon mari prenait pour se rendre à la station-service où il travaillait le jour, de même qu'à ses engagements musicaux du soir. Ida m'a suggéré de la lui emprunter le lendemain : elle m'enseignerait à vendre des livres.

Elle a pris le volant jusque dans la proche banlieue, où nous avons frappé à toutes les portes du matin au soir. À la fin de la journée, j'étais totalement épuisée et nous n'avions fait aucune vente. Personne n'avait en fait manifesté le moindre intérêt. J'avais pourtant vendu dix séries en une journée et demie! L'échec d'Ida m'était incompréhensible. Je n'avais pas encore découvert la force de mon propre enthousiasme.

Au moment de rentrer, Ida est montée dans la voiture du côté passager : « C'est vous qui prenez le volant. »

— « Mais je ne sais pas conduire! »

Ida n'a pas bougé. Elle voulait me former à la vente, et il me fallait savoir conduire. « C'est le moment ou jamais d'apprendre », m'a-t-elle rétorqué. Après quelques explications, j'ai pris la direction de Houston en pleine heure de pointe. J'ai presque bousillé l'embrayage, mais nous sommes arrivées à bon port. Le lendemain, j'ai pris la voiture pour me rendre fièrement au restaurant de ma mère. Un peu trop sûre de moi, j'ai percuté deux des trois poteaux de la marquise qui, en s'écroulant sur l'auto, l'ont quasiment achevée.

Peu importe, j'apprenais à conduire et grâce à Ida Blake, j'avais décroché mon premier emploi dans le secteur de la vente. Neuf mois plus tard, mes ventes totalisaient 25 000 dollars. Je touchais sur chaque livre vendu 30 à 40 pour cent de commission, et je gagnais bien ma vie. Il me restait toutefois à apprendre une importante leçon en matière de relations avec la clientèle. Je me suis en effet aperçue que plusieurs des amies à qui j'avais vendu ces livres semblaient mécontentes. J'avais l'impression qu'elles m'en voulaient. Toutes s'entendaient pour en louer les vertus éducatives, mais elles ne les utilisaient pas avec leurs enfants. Implicitement, elles blâmaient mon enthousiasme de les avoir induit en erreur. Sans doute ce raisonnement dénotait-il un brin de paresse de leur part, mais j'ai tout de même appris l'importance d'enseigner à chaque cliente l'usage détaillé des produits que l'on vend. Et c'est ce principe que j'allais mettre en œuvre en fondant plus tard Les Cosmétiques Mary Kay.

Mon emploi suivant est venu consolider mon expérience. Mon mari ayant perdu son emploi à la station-service, nous avons fait équipe pour vendre des batteries de cuisine. Nous avions deux produits vedette de très grande qualité : un autocuiseur performant et une poêle à frire géante et nous en faisions la démonstration en y faisant cuire un repas. Je préparais donc mes plats dans la journée, et nous transportions le tout chez nos hôtesses. Au menu : jambon, patates douces, haricots verts et gâteau maison. Nos invités devaient avoir l'impression qu'on pouvait réussir ce repas en un tournemain. Seulement, j'avais pris soin de choisir le meilleur jambon, de tailler joliment des légumes très frais et de préparer à l'avance le mélange à gâteau. Tandis que mon mari faisait sa démonstration à plusieurs couples dans le salon, je m'affairais dans la cuisine, où je bouclais en fait chaque vente.

Les femmes, laissant leur mari en compagnie du mien, venaient fureter dans la cuisine : « Est-ce vraiment aussi facile que ça en a l'air? », me demandaient-elles. Mon enthousiasme (et la réelle qualité du produit) avait tôt fait de les convaincre.

Ce petit menu était délicieux, mais nous ne pouvions nous offrir les aliments qui le composaient. Si nos invités ne finissaient pas leur assiette, nous soupions avec les restes, sinon, nous nous privions de repas.

Puis vint la Crise. Personne n'avait plus les moyens de s'offrir une batterie de cuisine, et nous avons fermé boutique. Je n'en étais pas trop mécontente : pour gagner notre vie, il nous fallait pratiquer la vente sous pression, et ce n'était pas ma spécialité.

Chez Mary Kay, nous déconseillons tout type de vente sous pression. Nous préférons de loin enseigner les soins de la peau et manifester tout naturellement l'enthousiasme que nous inspirent nos produits. Nous recherchons par conséquent des Conseillères qui par tagent cette philosophie éducative. Notre effectif de vente comprend donc plusieurs centaines d'anciennes enseignantes et infirmières. Quand elles ont découvert qu'elles pouvaient gagner leur vie aussi bien ou nettement mieux, elles ont voulu profiter d'une carrière à la fois stimulante et gratifiante.

Je crois que la plupart des consommatrices apprécient notre approche discrète, que nous qualifions parfois de « persuasion courtoise ». Nous présentons nos produits en partageant avec nos clientes notre enthousiasme et nos connaissances, et nous sommes nombreuses à trouver qu'ils se vendent alors d'eux-mêmes. D'ailleurs, nombreuses sont les clientes et hôtesses qui nous écri vent pour faire l'éloge de la courtoisie et du professionnalisme de nos Conseillères.

« Ma mère bien-aimée »

Mary Kay bébé

Mary Kay à sept ans

Mary Kay à son bal de remise des diplômes, fin du secondaire

Mary Kay, jeune représentante des ventes

Mary Kay, ses fils Ben et Richard, et deux employées, photographiés en 1964 devant les locaux de la compagnie.

Mary Kay dédicace son autobiographie à l'occasion d'une tournée de promotion.

Mary Kay en 1973.

Mary Kay et son mari, Mel Ash, en 1979.

Mary Kay Ash et sa famille : À sa mort, Mary Kay avait 16 petits-enfants, 24 arrière-petits-enfants et un arrière-arrière petit-enfant.

Cette approche contribue également à la fidélisation de clientes satisfaites. En effet, notre courtoisie et notre discrétion favorisent une mise en confiance impossible à obtenir par des techniques de vente sous pression.

De nombreux maris partagent du reste l'enthousiasme de leur épouse. Un jour, notre réceptionniste m'appelle à mon bureau : « Mary Kay, j'ai au bout du fil un homme qui veut parler à la seule et unique patronne. J'imagine que ce doit être vous? »

— « Et c'est à quel propos? »

— « Je l'ignore, il a simplement dit qu'il ne parlera qu'à la patronne. »

Je l'ai donc pris au téléphone. Eh bien, jamais je n'avais entendu quelqu'un parler aussi vite! Peut-être craignait-il que la « seule et unique patronne » lui raccroche au nez! « Mary Kay, dit-il, je vous appelle pour vous remercier d'avoir sauvé mon mariage! »

J'allais lui demander ce que j'avais bien pu faire pour accomplir cet exploit, mais je n'en ai pas eu le temps : « Ma femme et moi sommes mariés depuis huit ans », a-t-il poursuivi. « Quand nous nous sommes rencontrés, elle semblait sortir des pages du magazine *Vogue*. Une vraie beauté, une silhouette de rêve, mais une première grossesse difficile lui a fait perdre le goût de se faire belle. »

Il parlait si vite que je n'arrivais pas à placer un seul mot.

« C'en est venu à un tel point qu'elle a complètement cessé de se coiffer et de se maquiller. Je partais travailler le matin, la voyant avec un enfant hurlant dans ses bras, l'autre accroché à son tablier défraîchi. À mon retour le soir, rien n'avait changé, sinon en pire!
« Puis, il y a deux mois environ, elle a assisté à un cours de soins de la peau, où elle a dépensé 28 dollars (visiblement, cela lui semblait énorme). La Conseillère qui lui a vendu ces produits a fait un travail formidable! À mon retour du travail, ma femme était maquillée, coiffée et habillée. J'avais oublié qu'elle pouvait être aussi magnifique! Depuis, elle a retrouvé toute sa fierté et a même perdu huit kilos. Grâce à vous, je suis retombé amoureux d'elle. »

Il a ensuite raccroché avant que je puisse lui demander son nom et celui de la Conseillère en question. « Grâce à vous », avait-il dit.

À la première occasion, je me suis fait inviter dans une réunion de groupe pour raconter cette histoire. « Ce petit miracle, ai-je dit aux Conseillères, c'est peut-être l'une de vous qui l'a inspirée! ». Encore aujourd'hui, il m'arrive d'évoquer cette anecdote, car s'il est rare qu'un conjoint nous appelle pour nous en faire part, le même miracle a dû se répéter des milliers de fois.

Mon propre enthousiasme a souvent suscité des ventes inattendues. En 1966, par exemple, je me trouvais à Rome avec Mel, mon regretté mari, pour un voyage de noces quelque peu tardif. À faible distance du célèbre Colisée, nous avions pris place dans un restaurant en plein air dont les clients mangeaient côte à côte à de très longues tables. Mel s'est penché vers moi : « Mais où sont donc ces élégantes Européennes qui font la réputation du Vieux Continent? Je n'en vois aucune nulle part. »

Juste à ce moment, une vraie beauté est entrée au bras d'un homme; grande et mince, cheveux d'ébène et teint d'ivoire, vêtue avec grande élégance. Assurément une comtesse italienne, croyions-nous. Le serveur leur a indiqué une place à nos côtés. Mel s'étant allumé une cigarette, l'homme lui en a demandé une en expliquant que sa femme et lui voyagaient en Europe depuis six semaines, et qu'ils ne trouvaient nulle part de cigarettes américaines. Mel lui a offert son paquet. « Quel bonheur! », s'est exclamé l'homme en remerciant vivement mon mari.

Puis, il s'est informé de son secteur d'activités. « Je travaille dans la vente d'articles cadeaux, a répondu Mel, et ma femme dans le domaine des cosmétiques. »

Notre élégante voisine de table s'est aussitôt exclamée : « Des cosmétiques? Quelle marque au juste? »

— « Les Cosmétiques Mary Kay », ai-je répondu, « mais vous ne connaissez sûrement pas. Nous sommes une jeune Compagnie texane, en affaires depuis deux ans à peine. » Sans même m'en rendre compte, je me suis alors lancée dans une description enthousiaste de nos produits. Or, je n'avais pas le moindre boîtier de couleurs à lui montrer, car je transportais un minuscule sac à main. Pourtant, avant même le dessert, cette femme a rédigé un chèque réglant le prix de la *gamme complète* de nos produits, me demandant de les lui envoyer à Acapulco dès leur retour d'Europe, dans trois mois. *Sans rien voir* de ses yeux, elle a voulu faire l'essai de nos produits, convaincue par mon enthousiasme.

Et les choses n'en sont pas restées là. De retour au Mexique, elle me commandait presque *tous les mois* jusqu'à six ensembles de soins pour la peau. C'était d'autant plus incroyable que les taxes à l'importation en doublaient le prix. Intriguée, je lui ai finalement écrit pour lui demander ce qu'elle faisait de tous ces produits. Sa peau était si radieuse, me répondit-elle, que toutes ses amies dési raient utiliser nos produits et qu'elle s'était mise à leur offrir gracieusement des séances de soins de la peau.

C'est ainsi que se propage l'enthousiasme. « La vitesse du leader détermine la vitesse du groupe », dit-on souvent chez Mary Kay. Le dynamisme d'une Conseillère ou d'une cliente satisfaite peut inciter des dizaines de femmes à adopter nos produits. De même, l'enthousiasme d'une Directrice fera merveille pour son groupe, surtout si elle prêche par l'exemple. Je crois en effet que nos Directrices offrent à leurs Conseillères le meilleur des exemples. Comme si chacune représentait l'« esprit Mary Kay » aux yeux de leurs Conseillères, celles-ci faisant de même aux yeux de leurs clientes.

Je remercie Dieu du don d'enthousiasme qu'il m'a fait et qui explique l'énergie qui m'a toujours habitée. Même après toutes ces années, je me lève chaque matin débordante d'un enthousiasme renouvelé. Aucun problème, aucune fatigue n'en sont jamais venus à bout. J'adore ce que je fais, et chaque journée est pour moi synonyme d'occasions à saisir, de vies à enrichir et d'amies à découvrir.

Comme le disait Ralph Waldo Emerson : « Sans enthousiasme, on ne peut rien accomplir d'important. » Et dire qu'il n'avait jamais vu à l'œuvre l'enthousiasme qui règne chez Mary Kay!

6

Souriez à la vie!

J'AI ÉTÉ TRÈS ÉPROUVÉE par mon divorce d'avec mon premier mari, traînant pendant près d'une année le sentiment d'un douloureux échec, comme femme, épouse et être humain. Cette détresse émotive s'est répercutée sur ma santé. Selon plusieurs médecins, je souffrais de polyarthrite rhumatoïde. Des spécialistes du réputé *Scott and White Memorial Hospital,* à Temple (Texas), avaient même diagnostiqué une progression rapide de la maladie qui me laisserait complètement invalide. C'était affaire de quelques mois.

Je refusais toutefois l'idée de devoir retourner chez moi pour que ma mère s'occupe de mes trois enfants et de sa propre fille impotente. Elle avait travaillé fort toute sa vie et jamais, au grand jamais, je ne lui aurais imposé pareille responsabilité!

J'étais alors chez *Stanley Home Products* et touchait 10 à 12 dollars par démonstration. Je devais en faire trois par jour pour joindre les deux bouts. Je ne pouvais m'offrir le luxe de la maladie et du découragement. Malgré mon état de santé, je présentais donc chaque fois mon plus beau sourire. J'ai continué sur ma lancée en ne pensant qu'à réussir. Mes symptômes se sont atténués avec chaque succès, jusqu'à disparaître complètement. Les médecins me répétaient qu'il s'agissait d'une simple rémission et que ma polyarthrite réapparaîtrait tôt ou tard. Ils se sont lourdement trompés. À ce jour en tout cas. Je suis persuadée que l'extrême détresse morale causée par mon divorce a provoqué l'apparition de symptômes physiques qui ont disparu dès que j'ai repris ma vie en main!

Le fait de sourire à la vie et de conserver ce sourire dans l'épreuve, transforme les gens. Ce sourire en vient à illuminer tout notre être. J'ai découvert que plus j'affichais un air réjoui et détendu lors de mes démonstrations, plus mes problèmes s'éloignaient. Si j'avais au contraire cédé à la dépression, mes problèmes se seraient forcément aggravés, car j'aurais mal travaillé et gagné trop peu d'argent pour subvenir aux besoins de mes enfants. « Tout homme peut être aussi heureux qu'il choisit de l'être », dit un adage auquel je crois profondément.

Par principe, j'ai toujours pensé qu'un représentant des ventes doit éviter d'exposer ses problèmes à ses clients. Je donne d'ailleurs à cet égard deux recommandations à nos Conseillères : « effacer » mentalement tout problème personnel avant chaque cours de soins de la peau, afficher dès le début un sourire enthousiaste. Les gens qui vous demandent « Comment allez-vous? » posent cette question par habitude. Peu leur importe que votre mari ait perdu son emploi, que vos enfants aient la rougeole ou que votre réservoir d'eau chaude vienne d'éclater. Ne les accablez pas en leur racontant vos ennuis! Vous gâcherez l'ambiance et leur ôterez toute envie de tisser avec vous des rapports amicaux. Il vaut mieux ne rien dire à personne de vos tracas. Aucune des invitées de mes démonstrations n'aurait pu soupçonner l'état lamentable dans lequel je me trouvais parfois. « Comment allez-vous? », me demandaient mes hôtesses. « Merveilleusement bien! Et vous? » : voilà ce que je répondais toujours. J'« effaçais » mes problèmes et commençais ma démonstration. Et croyez-moi, quand elle me valait des ventes exceptionnelles, je me sentais « merveilleusement bien » en rentrant à la maison!

Il faut bien comprendre que personne n'est hyper motivé tous les jours. Même les femmes les plus dynamiques ont leurs coups de cafard. Eh oui, moi aussi! Il m'arrive d'être fatiguée et de me présenter à reculons à certains rendez-vous. C'est en pareil cas que je provoque l'enthousiasme dont j'ai besoin pour faire bonne figure. J'y arrive notamment en lisant de bon livres de motivation et en écoutant des audiocassettes. J'aime particulièrement écouter ces audiocassettes de motivation en faisant ma toilette ou en conduisant ma voiture. C'est un moyen extraordinaire de gagner un temps précieux.

Chanter a aussi pour effet de réjouir les gens. J'ai déjà parlé des chansons que nous entonnons dans les événements Mary Kay. Certains nous ont critiqué pour cette tradition qu'ils jugent un peu ridicule, mais que cela leur plaise ou non, nous continuerons de chanter tant que nous en retirerons énergie et motivation. Les chants religieux ont la même fonction. Jeune maman, je me rendais à l'église avec mes trois petits sur la banquette arrière. Ils étaient parfois si turbulents que je croyais avoir perdu la foi en arrivant à destination, mais après deux ou trois cantiques, je retrouvais mes esprits et ma joie d'entendre l'intéressant sermon de notre pasteur.

Au début de nos réunions de groupe, nos Conseillères dressent un bilan de leurs succès hebdomadaires. Nous les invitons à se lever pour transmettre avec enthousiasme leur plus bel exploit. C'est inévitable : celles qui ont connu une mauvaise semaine retrouvent leur motivation après avoir écouté une ou deux douzaines de témoignages positifs. « Si elles y arrivent, j'y arriverai sûrement moi aussi! », se disent-elles. La joie, le sourire et l'attitude de leurs collègues les inspirent toujours.

Bien entendu, la vie nous enlève parfois toute envie de sourire. Ce fut mon cas lorsque mon regretté mari, Mel Ash, est décédé le lundi 7 juillet 1980. Mel avait fumé durant 47 ans. Pendant dix ans, j'ai tout fait pour l'aider à cesser de fumer. Il a maintes fois tenté de le faire, mais il me disait au bout de quelques heures : « Mary Kay, j'en suis absolument incapable. ». Puis j'ai lu un jour un article sur le cancer du poumon chez les personnes qui, vivant avec un fumeur invétéré, inhalent la fumée secondaire. J'ai laissé le magazine ouvert sur la table basse du salon. Il en pris connaissance le lendemain, tout en regardant la télévision. Et justement, une publicité y parlait d'une clinique spécialisée dans la lutte contre le tabagisme. Comme il m'aimait et tenait à moi, il s'y est aussitôt inscrit. Il en est revenu après cinq jours et n'a jamais plus rallumé une cigarette! Hélas, le mal était fait; cinq ans plus tard on lui a diagnostiqué un cancer des poumons inopérable qui l'a emporté en moins de sept semaines.

Le lendemain de sa mort, notre personnel, les Conseillères et les Directrices de la région de Dallas devaient assister à un congrès à St. Louis. J'ai donc avancé à mardi après-midi les obsèques de Mel, pour que tous et toutes qui le connaissaient et l'estimaient beaucoup puissent tout de même s'y rendre.

Je n'avais pas prévu d'assister à ce congrès en raison de l'état de santé de Mel, mais plus de 7 500 femmes de tout le Midwest américain s'y trouvaient rassemblées. Je m'y suis donc rendue le vendredi, sachant que bon nombre d'entre elles avaient dépensé beaucoup d'argent pour me voir et m'entendre. Et malgré l'immensité de mon chagrin, j'ai fait en sorte d'afficher une attitude digne et positive. J'ai refusé de m'apitoyer sur mon sort, de manière à ce que toutes les participantes ressortent de l'événement pleinement motivées.

Je pensais constamment à Jackie Kennedy Onassis et à son courage lors de l'assassinat de son mari. Un courage qui lui a valu l'admiration du monde entier et qui a incité d'innombrables gens à puiser en eux une grande force de caractère. À ma modeste façon, j'ai voulu suivre son exemple en souriant dans le chagrin et l'adversité. Et depuis, beaucoup de femmes m'ont écrit pour me dire que cette attitude de ma part leur avait insufflé un peu d'espoir à l'occasion de drames qu'elles avaient subis.

La vie nous réserve son lot d'épreuves, mais elle doit continuer en dépit de tout. C'est ainsi que nous avons appris une horrible nouvelle quelques jours avant notre Séminaire de 1978. La merveilleuse Sue Vickers, l'une de nos plus talentueuses Directrices nationales des ventes, avait été enlevée dans le stationnement d'un centre commercial de Dallas et assassinée. Nous l'appelions toutes « Miss Enthousiasme » en raison de sa chaleur humaine et de l'esprit d'entraide qui la caractérisait. Sa mort tragique nous a toutes profondément ébranlées.

Sue devait prononcer un discours à notre Séminaire. Et dans ses notes, nous avons retrouvé ces quelques phrases :

Devenez quelqu'un d'exceptionnel.
Dites-vous que Dieu souhaite vous voir accomplir de grandes choses.
Dépassez-vous sans jamais renoncer à vos rêves!
Devenez pour votre entourage une grande source d'inspiration!
Le monde entier a besoin de votre amour et de votre énergie.
De votre enthousiasme, de votre sourire et de votre dynamisme!

Ces quelques notes illustrent mieux que tout la personnalité de cette femme d'exception. Sa mort tragique nous a frappés de stupeur, mais, souriant à travers nos larmes, nous avons consacré à sa mémoire le Séminaire, qui a eu lieu comme prévu et comme Sue l'aurait certainement voulu.

Il est facile de sourire et de rayonner de joie quand tout va selon nos désirs, mais seules les vraies championnes peuvent afficher leur plus beau sourire dans les périodes les plus difficiles.

Rena Tarbet figure parmi ces courageuses championnes. Directrice nationale des ventes et mère de trois enfants, Rena manifeste en toutes circonstances une telle joie et une attitude si positive qu'on ne soupçonnerait jamais qu'elle a subi deux mastectomies et une chirurgie reconstitutive.

Pas étonnant qu'elle inspire à toutes un enthousiasme de chaque instant! Adorant la vie et son travail, elle refuse de laisser son état de santé entacher son bonheur. Elle raconte souvent cette belle histoire qui lui est arrivée en attendant de subir des examens à l'hôpital *M. D. Anderson and Tumor Research Institute* de Houston. Après avoir patienté toute la journée, son tour était enfin venu lorsque l'infirmière en chef a annoncé que le médecin ne pourrait plus voir personne avant le lendemain après-midi. Or, Rena devait animer ce jour-là un important atelier à Dallas. Elle a demandé à voir le médecin en question pour lui expliquer sa situation.

« Quelque chose vous empêcherait-il, docteur, de voir une seule autre personne aujourd'hui? ». Après avoir réfléchi un bref instant, et devant l'attitude souriante de Rena, le médecin a consenti à l'examiner comme prévu.

C'est avec un plaisir évident que Rena m'avait raconté cette histoire : « J'ai employé la même technique de vente que vous m'avez enseignée! Vous savez, celle où on incite les femmes à accepter d'être hôtesse en leur demandant si quelque chose les empêcherait d'accueillir quelques invitées chez elles! »

Après l'atelier, Rena m'a fait part du diagnostic du médecin. Elle suivrait pendant plusieurs mois des traitements de chimiothérapie et de radiothérapie qui lui feraient perdre tous ses cheveux. « C'est l'occasion rêvée de m'acheter une jolie perruque! » m'a-t-elle lancé en souriant.

J'étais béate d'admiration. Je devais moi-même retenir mes larmes tant sa situation m'attristait, mais j'ai suivi mes propres conseils en affichant mon plus beau sourire pour lui manifester mon soutien. Comment aurais-je pu faire autrement : le visage de Rena rayonnait d'espoir et de joie sereine.

À l'occasion d'un de nos récents événements, elle a rassuré tout le monde sur sa détermination à triompher de la maladie, citant ce passage des *Essais de Montaigne* : « La valeur de l'existence ne réside pas dans la longueur des jours, mais dans l'usage qu'on en fait. Un homme peut vivre très longtemps, mais vivre très peu. Toute satisfaction est dans cette vie affaire de volonté et non d'années. »

Je débordais de fierté en observant Rena prononcer ces mots. Je sentais qu'elle avait découvert le véritable sens de la vie. Je l'ai serrée très fort dans mes bras, avec autant d'émotion que de bonheur.

Après des traitements de chimiothérapie échelonnés sur six ans, le cancer de Rena est aujourd'hui en rémission depuis plusieurs années et nul doute que son combat nous inspirera encore longtemps des trésors de courage et de détermination.

7

Dieu, famille et carrière : un ordre de priorité essentiel

AU FIL DU TEMPS, j'ai découvert que tout fonctionne mieux dans la vie lorsqu'on met les choses dans leur juste perspective c'est-à-dire en donnant la première place à Dieu, la deuxième à notre famille et la troisième à notre carrière. Je suis persuadée que nous de vons notre croissance à notre décision initiale de prendre Dieu pour partenaire. D'après moi, la réussite des Cosmétiques Mary Kay ne peut s'expliquer autrement. Ainsi nous a-t-il accordé sa bénédiction en constatant notre sincère motivation d'aider les femmes à s'épanouir à la pleine mesure des talents et capacités dont il a gratifié chaque être humain.

Lorsqu'on remet sereinement son destin entre les mains de Dieu, la vie se charge de nous indiquer notre chemin. C'est en refusant cet appui spirituel, en croyant pouvoir tout faire par soi-même, qu'on commet les plus grandes erreurs.

Chez Mary Kay, personne ne travaille en solitaire. Brillant gestionnaire et grand stratège d'entreprise, mon fils Richard s'est acquis dans le monde des affaires une très enviable réputation, mais il n'a pas le don de prédire l'avenir à la seule lecture de nos études de marché et bilans financiers. Pourtant, plusieurs de ses décisions ont donné cette impression d'infaillibilité. Je suis convaincue que Dieu lui a inspiré ses meilleures décisions et je ne saurais compter les occasions où, face à un problème, une solution nous est miraculeusement tombée du ciel!

Un seul exemple : l'hexachlorophène. Il y a plusieurs années, cet ingrédient d'excellente réputation était largement utilisé dans l'industrie cosmétique, et nous l'avions inclus dans la formule de notre lotion pour le corps. Ayant eu connaissance de certaines de ses lacunes, nous avons cependant décidé d'interrompre notre production et de jeter au rebut quelque 19 000 flacons de lotion. Peu après, la *Food and Drug Administration* (FDA) en a proscrit l'usage et ordonné à tous les fabricants de détruire leurs stocks de produits contenant de l'hexachlorophène. Notre vigilance précoce nous avait épargné une perte de plusieurs centaines de milliers de dollars.

« Notre équipe scientifique avait prévu le coup, a déclaré Richard pour expliquer notre flair, et elle a agi en conséquence. » Personne ne peut prédire l'avenir, et nul ne sait quelle sera la prochaine injonction de la FDA. Pour une raison quelconque, nous avions retiré ce produit chimique avant même la sortie de la nouvelle, nous évitant ainsi des conséquences coûteuses.

La gestion d'une entreprise nécessite quelques grandes décisions et des milliers de petites. Et le plus souvent, ce sont ces décisions de chaque heure et de chaque jour qui départagent le succès de l'échec. Il fait peu de doute à mes yeux que Dieu nous a indiqué la bonne voie en veillant sur nous au quotidien.

Aussi convaincue que je sois du rôle de Dieu dans notre croissance, je n'oublie jamais que nous sommes une entreprise et qu'il me faut éviter de faire des sermons. Nos partenaires et notre effectif de vente viennent de tous les milieux et de toutes les confessions religieuses. Notre philosophie des trois priorités — Dieu, famille et carrière — peut évidemment attirer des femmes attachées aux va leurs spirituelles et familiales, mais je n'ai jamais tenté d'imposer à qui que ce soit mes propres convictions. Je me permets simplement d'évoquer la place que la foi occupe dans ma propre vie.

Tout comme j'exprime l'importance primordiale que j'accorde aux liens familiaux. Je dis souvent qu'on peut obtenir une réussite impressionnante, mais rater sa vie si on a perdu sa famille en cours de route. L'argent ne vaut rien si l'on y sacrifie ses proches. Toute carrière est un moyen d'offrir aux siens confort et sécurité, mais jamais une fin en soi. Hélas! trop de gens se laissent déborder par le travail et perdent de vue l'essentiel.

À l'époque où je subvenais seule aux besoins de mes enfants, je consacrais tout mon temps aux trois priorités de notre philosophie. Je n'avais aucune activité sociale. Ma vie se partageait entre mes trois petits, mon travail et mes devoirs religieux. Jamais de restaurant, de cinéma ou de loisirs. Je me levais à cinq heures pour ranger la maison avant que les enfants se lèvent. Puis je préparais leur petit déjeuner. Après leur départ pour l'école, je me rendais à ma première démonstration de la journée, suivie d'une deuxième, m'assurant d'être rentrée à leur retour de l'école. Je préparais alors le repas du soir et leur faisais enfiler leur pyjama. Dès l'arrivée de ma gardienne, je repartais vers dix-neuf heures pour ma démonstration du soir. Malgré cet emploi du temps, tout s'est toujours bien déroulé parce que j'accordais à mes enfants l'attention indispensable dont ils avaient besoin. Je ne manquais jamais de remercier Dieu de l'incroyable énergie qu'il m'avait donnée!

Une énergie qui me permettait même de leur offrir des vacances estivales à Galveston, notamment, lieu de villégiature texan où nous séjournions en bord de mer à l'Hôtel *Galvez*. Chaque matin, je les accompagnais à la plage et restais auprès d'eux jusqu'à ce que le soleil soit trop brûlant, ma peau ne pouvant supporter les expositions prolongées. Puis je remontais à notre chambre, d'où je pouvais les surveiller par la fenêtre. À midi, j'en redescendais pour les emmener manger un hot-dog ou un sandwich, puis ils retournaient à la plage et moi à ma fenêtre. Mes vacances consistaient en fait à les regarder s'amuser.

C'était les deux seules semaines de l'année où je pouvais souffler un peu. Les 50 autres se résumaient à mes priorités habituelles : Dieu, famille et travail, travail, travail. La célèbre psychologue Joyce Brothers a déjà dit que les bourreaux de travail sont des gens très passionnés, et que cela présente aussi des avantages. J'ose croire qu'elle a dit vrai, car j'en étais certainement à l'époque!

En effet, pour boucler mon budget, je devais travailler le soir.

Chose que n'appréciaient pas trop mes voisins, Richard étant parfois turbulent en mon absence. Nous avons toutefois déménagé à Dallas dès que j'ai mieux gagné ma vie. Dans un joli quartier, nous avions une maison en brique de deux étages, avec petit perron et verte pelouse à l'avant sans oublier un bel arbre mature. Mes moyens me permettaient aussi d'avoir une gouvernante qui devait garder les enfants après mon départ. Ce qu'elle faisait bien sûr mais pour sitôt se réfugier dans sa chambre, semble-t-il. Car Richard attendait que la maison soit calme pour se faufiler jusqu'au balcon adjacent à sa chambre, s'accrocher à l'arbre tout près, en descendre, puis aller s'asseoir sur le bord du trottoir jusqu'au retour de maman.

Il adore d'ailleurs raconter cette histoire : « Maman ne comprenait pas que les voisins ne l'aiment pas. Quand ils me voyaient sur le bord du trottoir, ils me demandaient où se trouvait ma mère et je leur répondais qu'elle sortait tous les soirs. » Richard ne semblait jamais préciser que j'étais au travail!

Malgré mes longues heures de travail, j'ai toujours planifié mon emploi du temps de manière à être aussi présente que possible. J'aidais toujours les enfants à faire leurs devoirs, et ils pouvaient m'interrompre à tout moment pour discuter de leurs problèmes. J'appréciais tout particulièrement la flexibilité de mon horaire quand ils étaient malades, car je pouvais leur prodiguer tous les soins nécessaires. Je travaillais fort, mais tout s'arrêtait dès que ma petite famille avait besoin de moi.

Tous les employeurs devraient comprendre que les enfants sont la grande priorité des parents. Trop souvent, j'ai vu des gens entrer au travail après avoir laissé leur enfant malade seul à la maison. Leurs patrons auraient dû leur permettre de prendre congé. De toute façon, comment peut-on se concentrer sur son travail lorsqu'on s'inquiète de son enfant malade? Vous noterez que je parle bel et bien des parents. Les mères monoparentales, comme je l'étais, doivent assumer toutes les responsabilités à la fois, mais si papa et maman s'occupent des enfants (même après un « divorce à l'amiable »), on doit permettre aux hommes comme aux femmes de s'acquitter de leurs obligations parentales.

Nos responsabilités s'étendent aussi aux autres membres de notre famille. Mel, mon mari, a été gravement malade pendant sept semaines avant de succomber au cancer. Les deux premières semaines, nous ignorions qu'il était en phase terminale, mais j'ai fait savoir à notre siège social que je ne rentrerais pas au travail tant qu'il serait alité. Je savais qu'on comprendrait que je privilégiais ma famille par rapport à ma carrière. Et je suis restée absente jusqu'au décès de Mel. On me faisait parvenir du travail et, quand mon mari dormait, j'allais m'asseoir à mon bureau pour régler ce qui me paraissait urgent.

Avant que Mel tombe malade, je m'apprêtais à prononcer un discours devant la Fédération nationale des associations féminines, à l'occasion d'une assemblée tenue à St. Louis en juin 1980. Planifié depuis une bonne année, l'événement devait attirer plusieurs milliers de participantes de tout le pays. Je m'étais réjouie de leur transmettre nos principes et notre philosophie, mais il n'était pas question de délaisser mon époux malade pendant deux longues journées. Dalene White, l'une de nos Directrices nationales des ventes, a pris ma relève et représenté la Compagnie avec brio.

J'ai parfaitement conscience que la plupart des entreprises attendent de leurs employés qu'ils donnent la priorité à leurs tâches. Et je sais qu'on peut se laisser déborder jusqu'à négliger ses responsabilités familiales, mais je refuse de croire qu'on exige d'un employé qu'il privilégie son emploi quand sa famille a besoin de lui.

D'après ce qu'on me dit, cela n'est pourtant pas si rare. Or, notre philosophie des trois priorités n'est en rien incompatible avec la réussite et la croissance d'une entreprise. On peut en définitive gagner tout l'argent du monde, vivre dans une maison immense et posséder bien des voitures, le jour où Dieu nous rappelle à Lui, rien d'autre ne compte que les valeurs que nous avons privilégiées et le sens profond que nous avons donné à notre vie.

8

Une femme de carrière aux multiples rôles

LES DERNIÈRES DÉCENNIES ont été marquées par d'énormes changements sociaux. En 1963, seuls 32 pour cent des femmes mariées avaient un emploi. En 1983, elles étaient 51 pour cent. Aujourd'hui, les deux tiers des jeunes femmes ayant terminé leur scolarité travailleront tôt ou tard. D'ici à l'an 2000, on estime que le nombre de femmes chefs d'entreprise sera supérieur à celui de la totalité du personnel féminin des cinq cents entreprises du magazine *Fortune*. Déjà, en 1993, la *National Foundation of Women Business Owners* dénombrait aux États-Unis 4,5 millions de femmes à leur compte.

Nos filles et petites-filles ne songent plus depuis longtemps à travailler *en complément* de leur vie. Elles ne dissocient plus leur carrière et leur identité de femme : les deux coexistent tout naturellement, mais en tant que jeune femme de carrière, je devais à l'époque assumer simultanément les quatre rôles d'épouse, de mère, de ménagère et de femme d'affaires. Chacun de ces rôles réclamait beaucoup de temps et d'énergie. Les femmes portaient alors plusieurs casquettes. Celles qui travaillaient comme leur mari cumulaient par surcroît une foule d'autres métiers : domestique, cuisinière, blanchisseuse, chauffeur, enseignante, infirmière, garçon de courses, monitrice et coordonatrice. Elles aussi auraient eu besoin d'une « épouse » à la maison, disais-je souvent à l'époque.

Quant au soutien de leur entourage, il était à peu près inexistant. Faire carrière, prétendait-on, exigeait de la part des femmes sacrifices et compromis. Tout homme, après avoir embrassé épouse et enfants, pouvait se rendre au bureau et se consacrer tête reposée à son travail. Les femmes désireuses de faire leur place dans le monde des affaires — même une toute petite place — devaient s'assurer au préalable d'avoir soigneusement fait les lits et terminé leur repassage. Le bien-être des familles reposait sur les épaules de la gent féminine. En fait, travailler ne se justifiait vraiment que si l'on était veuve, célibataire ou divorcée. Et là encore, ce n'était qu'en attendant de trouver quelque chose de mieux à faire, en l'occurrence se remarier.

Grâce au ciel, les temps ont changé! On trouve encore des groupes sociaux réfractaires à ce changement, mais la grande majorité des gens acceptent parfaitement qu'à l'instar des hommes, les femmes aient besoin de s'épanouir, de relever des défis et d'acquérér leur autonomie financière. Et les possibilités sont aujourd'hui plus diversifiées que jamais. On peut travailler à l'extérieur ou à la maison, à temps plein ou partiel. À chacune de faire son choix.

Cette évolution a aussi provoqué bon nombre d'innovations. On les tient souvent pour acquis, mais de mon temps, on ne trouvait nulle part d'excellentes garderies comme aujourd'hui, d'horaires prolongés dans les écoles, de plats à emporter ou de vêtements faciles d'entretien. Quant au lave-vaisselle ou au four micro-ondes, personne ne les avait encore inventés! Tous ces progrès nous ont grandement simplifié les choses, à la maison comme au travail. Si vous avez des enfants, par exemple, il est devenu beaucoup plus facile de les confier à des éducateurs spécialisés et attentionnés. Notre conception du rôle des parents a aussi nettement évolué. Nous avons appris des psycologues qu'il est plus important de parler à nos enfants et de les responsabiliser en leur apprenant à contribuer aux tâches domestiques que d'empeser leurs vêtements. Cela renforce leur autonomie tout en vous aidant à gérer la maison ou votre emploi du temps.

Les hommes ont aussi beaucoup changé. Il reste aux femmes à conquérir une pleine équité salariale, mais cela se fera à mesure qu'on remplacera le personnel de direction des entreprises. Une étude menée auprès d'hommes d'affaires de 25 à 65 ans a révélé que les moins de 45 ans sont beaucoup plus nombreux à considérer les femmes comme leurs égales, à la fois socialement et professionnellement. Ils sont aussi nettement plus enclins à favoriser l'ascension professionnelle de leurs consœurs. Autrefois, les hommes se sentaient menacés par la réussite des femmes et préféraient confiner leurs épouses au foyer. Certains cyniques prétendent que les choses ont changé parce qu'il faut désormais deux revenus pour élever une famille. Quoi qu'il en soit, la majorité des hommes modernes se sont bien adaptés à cette réalité en participant davantage à l'éducation des enfants et aux tâches ménagères. Ils aiment tout autant leurs enfants et ont découvert le bonheur de ce partage. Regardons les choses en face, personne, homme ou femme, n'aime vraiment nettoyer la salle de bains, mais lorsque les deux travaillent à l'extérieur, il est normal qu'ils se partagent les tâches ménagères. Ainsi, ils auront tous les deux plus de temps pour leurs enfants, pour leur carrière et aussi à se consacrer l'un l'autre.

J'aimerais ainsi vous faire part de certaines mesures qui m'ont permis de concilier vie familiale et professionnelle. Des mesures qui, me semble-t-il, peuvent servir à toutes les femmes de carrière, qu'elles soient mariées, célibataires, veuves ou divorcées. Il s'agit évidemment de suggestions dont on pourra s'inspirer selon les circonstances. Loin de moi l'idée de dire quoi faire aux femmes divorcées sans enfants, ou à celles dont le mari fait la lessive et les goûters des petits (en passant, si c'est votre cas, prenez-en bien soin!). Je souhaite simplement vous confier certaines de mes propres solutions dans l'espoir qu'elles vous soient utiles.

Pendant ce qui fut sans doute la période la plus exténuante de ma vie, j'élevais mes trois enfants tout en travaillant chez *Stanley* et en poursuivant des études. J'avais été mariée dix ans et rêvais depuis toujours d'être médecin. Ma carrière dans la vente directe avait atteint son rythme de croisière : « C'est maintenant ou jamais », me suis-je dit. Rappelons qu'à l'époque, on considérait que les femmes mariées qui faisaient des études universitaires volaient la place de jeunes hommes voués à une brillante carrière. Mes professeurs ne se gênaient d'ailleurs pas de m'accuser de ce « crime ». Pour éviter d'être jugée de la sorte, je m'habillais en étudiante et retirais mon anneau de mariage pour le porter en chaîne autour du cou. Et je ne parlais jamais des enfants que j'avais à la maison.

En règle générale, j'étais en cours le matin et en démonstration l'après-midi. Je rentrais ensuite pour ranger la maison, laver les couches, préparer le repas du soir, et ainsi de suite. Une fois les enfants au lit, j'étais si épuisée qu'il m'était impossible d'étudier. Tombant de sommeil, je réglais souvent mon réveil à trois heures du matin pour faire mes travaux universitaires jusqu'à ce que les enfants se lèvent vers les sept heures. À ce rythme infernal, je n'ai pu tenir le coup très longtemps. J'étais déjà au bord de la dépression nerveuse.

À quelque chose malheur est bon, dit l'adage. Et curieusement, les choses se sont arrangées pour le mieux. On nous avait fait passer un test d'aptitudes étalé sur trois jours. Quand la doyenne de ma faculté m'a fait venir dans son bureau pour en discuter, elle m'a rassurée sur mes aptitudes scientifiques avant de m'apprendre que mes résultats étaient exceptionnels dans quelques autres domaines, dont celui de la persuasion. Elle m'a vivement recommandé d'étudier plutôt en marketing, me prédisant une brillante carrière dans la vente. Elle m'a aussi dit que d'ici quatre ans, je ferais un très bon salaire en tant que représentante des ventes ou acheteuse pour un grand magasin (j'ai bien sûr gardé le silence sur l'emploi que j'occupais *déjà* pour payer mes études et nourrir mes enfants).

Pour devenir médecin, a-t-elle poursuivi, il me faudrait étudier encore huit à dix ans, alors que je pourrais plus rapidement gagner ma vie, et très bien, dans un domaine idéalement adapté à mes aptitudes.

J'ai réfléchi et j'ai jugé qu'elle avait raison : la médecine n'était pas pour moi. J'ai quitté l'université pour reprendre à temps plein mon emploi chez *Stanley*... et mon autre emploi auprès de ma famille. J'étais toujours débordée, mais je pouvais au moins dormir et respirer un peu en voyant les choses venir.

J'ai alors commencé à travailler uniquement sur une base de commissions, ce qui m'était très avantageux car je déterminais mon propre horaire. Beaucoup de femmes ont un horaire très strict, mais je n'aurais pu m'asseoir à un bureau de neuf à cinq tout en élevant mes enfants. La flexibilité que m'offrait le secteur de la vente m'était indispensable pour être auprès d'eux quand ils en avaient besoin. Je planifiais mes activités de vente pour être à la maison après l'école, leur préparer à souper et leur accorder toute mon attention.

Il peut sembler éreintant d'assumer plusieurs rôles à la fois, mais c'est tout à fait réalisable à condition d'acquérir le sens de l'organisation. On doit établir ses priorités, les répartir suivant le temps dont on dispose, et déléguer le maximum de tâches. Si votre famille vous apporte un réel soutien, c'est par vos proches qu'il faut commen cer. Vous pouvez aussi évaluer les avantages financiers d'une certaine « sous-traitance ». Vous aimez faire la lessive et les planchers? Moi pas. Et j'ai vite découvert qu'en payant quelqu'un pour accomplir des tâches, je récupérais du temps et de l'énergie qui me servaient à multiplier mes ventes. Dès que je l'ai pu, j'ai donc engagé une femme de ménage. C'était pour moi une absolue nécessité, et non un luxe. Certaines y voient une dépense inutile ou n'apprécient pas la présence d'une étrangère dans leur maison, mais je vous propose d'en faire l'essai. Faites ainsi nettoyer votre maison une fois par semaine et vous pourriez être étonnée de l'argent que vous économiserez en rentabilisant de la sorte votre emploi du temps.

Après mon divorce, j'ai découvert qu'une femme de carrière monoparentale doit vite s'initier à la gestion du temps. Pour ma part, cela m'a permis de m'en tenir à mes trois priorités : Dieu, famille et carrière. À mes yeux, trop de femmes commettent l'erreur de s'engager dans une foule d'activités extérieures. Les projets civiques et communautaires sont certes importants, mais pas au point de négliger sa famille. C'est du moins mon avis. Votre adhésion à une association de parents d'élèves a un effet très positif sur votre enfant? Formidable! Mais s'il s'agit pour vous d'une simple activité sociale, peut-être vaut-il mieux revoir vos priorités. Une mère au travail doit évaluer le temps dont elle dispose et décider qu'elles activités elle peut se permettre.

Mel Ash et moi nous sommes mariés le 6 janvier 1966, ce qui a bien entendu modifié en profondeur tous les aspects de ma vie. J'avais fait sa connaissance par l'entremise d'un ami commun deux années seulement après le lancement de la Compagnie de mes rêves. Lui-même possédait une entreprise très prospère. Au fur et à mesure de notre croissance, il s'est intéressé de plus près à nos objectifs et défis. Au point d'affirmer, peu avant sa disparition : « Je suis un père qui a plus de 100 000 filles! ». Et de fait, il était très attaché à notre effectif de vente. On le croisait souvent en coulisses quand j'occupais le devant de la scène. Peu de gens savent qu'à sa façon discrète et avisée, Mel a résolu bon nombre des problèmes que nous avons pu rencontrer.

Ainsi, je n'oublierai jamais cette tempête de neige à Chicago. Nous en étions aux dernières heures d'une assemblée de trois jours réunissant 2 000 Conseillères et Directrices, lorsqu'un blizzard a rendu impossible toute circulation. On ne pouvait même plus franchir le seuil de l'hôtel. Nous en avons informé toutes les participantes, leur conseillant de regagner leur chambre. Nous avons offert le repas du soir et improvisé des ateliers jusqu'à ce que la tempête se calme.

Beaucoup ne pouvaient cependant s'offrir une autre nuit à l'hôtel. Un petit chaos s'est installé. Certaines tentaient sans succès d'appeler à la maison, d'autres erraient dans le hall comme des âmes en peine, quelques-unes pleuraient car elles n'avaient plus un sou en poche. Mais une fois les ateliers en marche, les esprits se sont calmés et les deux jours suivants se sont même déroulés dans une ambiance de fête. C'est seulement plus tard que j'ai appris que tout était rentré dans l'ordre grâce à Mel, qui disposait à cet hôtel d'un crédit illimité. Il s'était faufilé dans la foule pour repérer celles qui étaient sans le sou et leur prêter ce dont elles avaient besoin. Peu après notre retour à Dallas, Mel s'est mis à recevoir des dizaines d'enveloppes contenant des chèques. « Qu'est-ce qui se passe, lui ai-je évidemment demandé. Pourquoi toutes ces femmes t'envoient cet argent? » Sa modestie habituelle l'avait empêché de me parler de son geste.

Autre exemple de cette générosité qui lui valait tant d'estime : « mes cadeaux du jeudi ». Nous nous sommes mariés un jeudi et cette journée a toujours été très spéciale pour nous. Et pendant 14 ans, Mel m'a offert un cadeau le jeudi. Sans en oublier un seul! Selon son humeur ou son portefeuille, ce pouvait être une fleur, une boîte de chocolats… ou un diamant! Quoi qu'il arrive, j'étais certaine de trouver à mon arrivée un cadeau joliment emballé et quelques mots de sa part sur une carte qu'il avait choisie. Et il était tout aussi généreux de ses compliments. Il me répétait chaque matin que j'étais belle comme le jour. Or, j'étais évidemment affreuse. Nous, les femmes, pouvons ressembler à Elizabeth Taylor au coucher et à Charles de Gaulle au réveil! Pour être à la hauteur de ses compliments, j'avais pris l'habitude de me lever un peu avant lui pour me faire belle. Si possible, avant qu'il mette ses lunettes!

Même vivement intéressé par les activités des Cosmétiques Mary Kay, Mel n'en était pas moins de la vieille école et n'aimait pas que je le néglige trop. « Je suis le président de la présidente », disait-il sur un ton amusé. Le soir, il désirait que je ne pense qu'à nous, pas à ma Compagnie. Je l'aimais et respectais ce besoin chez lui.

Pendant les 16 minutes tapantes du trajet vers la maison, je me libérais donc l'esprit de mon rôle de présidente pour endosser celui d'épouse de Mel Ash. Celui-ci m'attendait à 19 heures, et j'ai dû m'adapter à cette demande de sa part. Après 17 heures, notre siège social est moins animé et j'aime en profiter pour réfléchir aux questions à régler. Il m'arrivait donc d'oublier l'heure, mais comme mon mari s'inquiétait dès que j'avais une minute de retard, et que ses sentiments m'importaient beaucoup, je faisais un effort pour quitter le bureau en temps voulu. Il avait toujours très faim à mon arrivée et je me suis vite spécialisée dans les repas « rapides et savoureux ». Le plus souvent, je demandais à notre domestique de dresser la table et de laisser une bonne salade au frigo ou un plat cuisiné au four. Un plat surgelé me dépannait parfois, mais j'arrivais à l'agrémenter à ma façon pour qu'il semble fait maison.

L'une de nos Conseillères m'avait confié que lorsqu'elle arrivait trop tard pour cuisiner, elle plongeait un oignon dans une casserole d'eau bouillante pour laisser croire qu'un bon plat mijotait sur le feu. En humant cet arôme, son mari imaginait le délicieux repas qui l'attendait, tandis qu'elle faisait réchauffer un plat surgelé. Certains désapprouveront cette petite ruse, mais notre Conseillère souhaitait simplement faire plaisir à son mari. De nos jours, les femmes de carrière très occupées peuvent souvent compter sur l'aide de leur mari ou de leurs enfants pour préparer les repas (et peut-être les maris les plus modernes auront-ils déjà tout préparé!).

Mel aimait aussi que nous passions quelque temps le soir à discuter ou à regarder la télévision. Je suis par moment un bourreau de travail, et j'avoue qu'il m'était parfois difficile de rester ainsi à me détendre et « à ne rien faire » quand j'aurais pu m'avancer dans mes tâches. J'adorais Mel et au fond de moi, je savais que ces heures passées ensemble nous étaient très précieuses.

Il m'arrivait de regarder la télévision d'un œil en lisant mon courrier de l'autre. Évidemment, Mel s'en apercevait et me « rappelait à l'ordre ». J'ai finalement modifié mon emploi du temps. Nous nous endormions ensemble, mais je me levais à cinq heures pour répondre à mon courrier et amorcer mon travail de la journée. Mel se levait à sept heures trente et je reprenais mon rôle d'épouse attentionnée. Ces petits changements de rôles m'amusaient plus qu'autre chose, puisque je prenais par ailleurs mes propres décisions. L'amour doit à mes yeux reposer sur le respect des sentiments de chacun et l'ouverture d'esprit.

Il faut aux femmes beaucoup de temps et d'énergie pour développer une carrière en donnant à leur famille toute l'attention nécessaire. Pour y parvenir, elles doivent déterminer clairement les différents rôles qu'elles endosseront, trouver l'équilibre entre chacun et délaisser ceux qui les éloignent de leurs priorités.

9

La femme de carrière et sa famille

COMMENT UNE CONSEILLÈRE MARY KAY annonce-t-elle à ses enfants qu'il est l'heure de dîner?

« Allez, tous dans la voiture! »

Et que fait une Directrice des ventes Mary Kay pour le repas familial du dimanche?

« Des réservations au restaurant! »

Selon le sentiment général, une « famille » se composait autrefois d'un mari, d'une épouse, de trois enfants et d'un chien. Papa allait travailler, maman entretenait la maison et les enfants jouaient avec le chien. Aujourd'hui, on accepte qu'une famille se combine de diverses façons, que ses membres aiet des âges variés et qu'ils entretiennent entre eux différents types de relations. Vos proches, celles et ceux qui partagent votre toit ou les êtres qui vous tiennent le plus à cœur, voilà ce qui définit désormais la notion de famille. Si vous faites carrière à l'extérieur, la première règle à suivre est de coordonner vos besoins et ceux des membres de votre famille. C'est ainsi que la famille devient un projet d'équipe.

Dans certaines familles, il est ainsi parfaitement normal que chacun — père et mère, grands-parents et adolescents — ait un emploi à temps plein ou partiel, et que tous les membres de cette équipe participent à la gestion du foyer. Bien entendu, il est plus simple de tout gérer quand on vit seul avec un chat, mais certaines femmes doivent apporter de réels changements à leur vie familiale quand elles entreprennent une carrière ou acceptent une promotion. Si c'est votre cas, assurez-vous de planifier soigneusement cette transition.

Heureusement, les femmes n'ont plus à choisir entre famille et carrière. Avec un minimum de confiance en leur intelligence et leurs capacités, elles peuvent avoir les deux à condition de bien s'organiser et d'établir leurs priorités.

J'ai entendu quelqu'un dire un jour que « se connaître, c'est ne pas croire en l'utopie ». Il faut cependant savoir qu'une utopie ne surgit pas toute seule, vous devez faire en sorte qu'elle surgisse.

Accordez-vous un moment pour réfléchir à ce que ressent votre famille à l'égard de votre carrière. Si vous choisissez de vous lancer en affaires après avoir été longtemps une épouse et une mère dévouée, je vous approuverai évidemment sans réserve! En y allant toutefois de cette mise en garde : votre mari et vos enfants pourraient vous soutenir avec moins d'enthousiasme que vous ne le souhaiteriez. Peut-être craindront-ils que ce nouveau défi, même s'il vous stimule beaucoup, ne les prive de votre présence et de votre attention. Et même si vous avez toujours travaillé, ils pourront éprouver la même crainte si vous obtenez un poste qui réclame de votre part plus de temps et d'énergie. Votre famille pourrait se sentir délaissée et avoir du ressentiment face à votre travail. Il vous revient alors de vous fier à votre jugement, de faire la part des choses et de vous efforcer de résoudre tout conflit éventuel, mais à mon avis, aucune réussite ne vaut de sacrifier sa vie familiale. De toute façon, on a de bien meilleures chances de réussir quand on bénéficie de l'affectueux appui des siens. Que faire si ce dilemme se présente? Refuser une promotion? Rester au foyer quand on désire travailler? Sûrement pas! Comme tout autre problème relationnel, on peut résoudre la question en tenant compte des avis et sentiments des gens qui nous entourent. Et d'après moi, le premier pas consiste à bien expliquer à vos proches en quoi votre carrière profitera à chacun d'entre eux.

Elle leur profitera financièrement, bien entendu; c'est l'avantage le plus évident en cette période économique où tout coûte de plus en plus cher. Mais votre épanouissement, la confiance et l'estime de soi qu'une carrière apporte souvent se répercuteront aussi sur tous vos proches et leur seront sans doute plus bénéfiques encore. Il est très stimulant de relever de nouveaux défis, sur le double plan émotionnel et intellectuel. On se découvre une énergie et des talents insoupçonnés, comme en font l'expérience beaucoup de nouvelles Conseillères, qui s'étonnent d'obtenir des succès dont elles n'auraient jamais rêvé. La plupart du temps, cette prise de conscience se traduit par un désir d'améliorer son apparence, de mettre tous ses atouts en valeur. Je l'ai observé maintes fois : dès ses premiers succès, une Conseillère qui prenait plus ou moins soin d'elle-même commence à se voir d'un autre œil. Pourquoi ne serait-elle pas aussi élégante que ses nouvelles collègues? Elle se fait plus jolie, modifie sa coiffure, se fait un manucure, s'offre de plus beaux vêtements. Immanquablement, ses proches remarquent cette transformation, ce changement qui va bien au-delà de l'apparence. Cette fierté retrouvée va de pair avec une assurance et une attitude plus positive qui engendrent bientôt de nouveaux succès. Pour inspirer aux autres à vous respecter, ne faut-il pas d'abord se respecter soi-même?

Toute femme de carrière ayant besoin de l'indispensable soutien de sa famille, nous mettons tout en œuvre pour les aider à obtenir l'appui des leurs. Quand une Directrice assiste par exemple à notre semaine de formation des nouvelles Directrices à Dallas, nous envoyons à sa famille une lettre la remerciant de son appui. Nous invitons aussi les conjoints à participer à nos ateliers et Séminaires où leur sont expliqués le fonctionnement des Cosmétiques Mary Kay, de même que les défis et récompenses que nous offrons. Cette démarche m'a peut-être été inspirée par les regards de désapprobation de mes voisins, à l'époque où mon fils Richard attendait mon retour assis sur le bord du trottoir, mais je tiens mordicus à ce que les familles de nos Conseillères comprennent ce qu'elles font lorsqu'elles donnent un cours de soins de la peau Mary Kay.

À l'occasion d'un Séminaire, nous avions remis aux maris un

macaron portant cette mention : « Elle est formidable! ». Et quand on leur demandait qui était donc si formidable? », ils répondaient fièrement : « Ma femme, bien sûr! »

Cette initiative avait suscité un tel enthousiasme que bien des maris se sont même mis à trouver des recrues et des clientes pour leur femme! Une autre fois, nous avons fait imprimer des autocollants de pare-chocs « Interrogez-moi sur la carrière de ma femme ». Bref, les conjoints qui assistent à nos événements en ressortent plus convaincus que jamais des talents et compétences de celle qu'ils aiment.

Dans le même esprit, il va sans dire que nous respectons tout spécialement les besoins des femmes qui ont des enfants. Bon nombre de nos Conseillères disent d'ailleurs que la flexibilité est l'un des aspects les plus importants de leur carrière. En effet, que peut bien faire une mère de son petit Jonathan fiévreux lorsqu'elle doit absolument aller au travail? Son mari pourrait l'aider, mais si elle est veuve ou divorcée, la voilà en difficulté. Pour les urgences, nous avons donc ce que nous appelons notre « système de remplace ment ». Si l'une de nos Conseillères est malade ou s'il lui arrive une urgence familiale, elle n'a qu'à appeler une autre Conseillère qui la remplacera et donnera le cours de soins de la peau prévu à sa place.

Bien des femmes de carrière se sentent coupables de travailler parce qu'elles ne peuvent passer autant de temps qu'elles le vou draient avec leurs enfants. Et après une longue journée, elles peuvent être trop fatiguées pour s'occuper de la maisonnée et voir aux activités des enfants. C'est ici qu'il faut établir ses priorités et reconnaître que c'est la qualité bien plus que la quantité de temps accordée à vos enfants qui est importante. Il ne suffit pas d'être à proximité de vos enfants pour être un bon parent. Vous pouvez aisément vous asseoir dans la même pièce qu'eux sans leur accorder la moindre attention. En fait, un parent qui passe toute la journée avec les enfants peut parfois être rendu tellement à bout en fin de journée qu'il finira par hurler : « Cesse de me poser toujours la même question! ». Ce n'est pas être un bon parent, c'est être là. J'ai découvert qu'en m'absentant quelques heures par jour, je suis devenue une meilleure mère. Les enfants semblaient m'apprécier davantage et je sais que j'avais plus de patience.

Bien définir ses priorités nécessite aussi de déléguer (et même d'oublier) les tâches ménagères qui nous prennent un temps précieux. D'où l'intérêt de faire appel à une femme de ménage ou à un service de nettoyage. Au prochain chapitre, j'expliquerai plus en détail les avantages financiers d'une telle décision. Si vous préférez entretenir vous-même votre maison, assurez-vous d'être réaliste. En rentrant d'une longue journée de travail, concentrez-vous sur les tâches essentielles. Surtout, réservez du temps à vos enfants plutôt que de ranger vos placards. Ou alors, rangez-les ensemble tout en dialoguant avec eux!

Vous êtes mariée et avez une vie de famille plus classique? À mon sens, votre mari doit à tout prix soutenir votre choix de carrière. En fait, c'est peut-être auprès de lui que vous devrez réussir votre première « vente ». Dites-vous bien que les gens donnent leur appui à ce qu'ils contribuent à créer. Donc, faites-le participer d'une manière ou d'une autre à votre entreprise. En tant que femmes d'affaires indépendantes, bon nombre de Conseillères Mary Kay se font aider par leur conjoint pour tenir leurs dossiers, faire leur comptabilité ou livrer leurs commandes. Et bon nombre de ces conjoints s'occupent aussi des enfants pendant qu'elles sont parties donner leurs cours de soins de la peau. Récemment, l'un d'eux m'a écrit pour me remercier, affirmant qu'il s'était rapproché de ses enfants et avait mieux compris les responsabilités dites « maternelles» depuis que sa femme avait démarré son entreprise Mary Kay.

Au début de ma carrière dans la vente, je n'avais plus de mari, mais j'avais des enfants, que j'ai progressivement initiés à mon travail. J'avais pris l'habitude de glisser l'argent obtenu de chaque hôtesse dans une enveloppe et, à la fin de nos livraisons, je versais le tout au milieu du tapis du salon. Les enfants s'assoyaient pour trier et compter l'argent. Ils m'aidaient aussi à préparer les commandes et à faire les livraisons. Le « travail de maman » était devenu le « travail de tous », et amusant avec cela. De la sorte, je crois leur avoir appris la valeur de l'argent et de la discipline, l'importance de respecter les échéances, de remplir ses engagements et de se fixer des objectifs, sans parler de quelques notions de mathématiques. C'était tout naturel à l'époque. Depuis, j'ai entendu des pédopsychologues expliquer l'importance pour les femmes de carrière de faire ainsi participer leurs enfants pour qu'ils prennent plaisir à des tâches en apparence routinières, mais pourtant formatrices.

Cela dit, mieux vaut éviter d'accabler vos proches en leur confiant vos problèmes. À table, on assombrit parfois l'atmosphère en commettant l'erreur de décrire ses tracas quotidiens. Il n'y a pas si longtemps, par exemple, le mari d'une de nos Directrices m'a envoyé une lettre pleine de reproches sur la gestion de notre Compagnie et les nombreux changements qu'il nous fallait opérer pour redresser la situation. J'ai finalement découvert que sa femme avait l'habitude de parler longuement de tous ses petits ennuis. Naturellement, il prenait sa part et a ainsi fait une montagne de quelques grains de sable.

Je lui ai répondu en tentant d'apaiser les choses. Peu après, j'ai pu m'entretenir avec sa femme lors d'une réunion de groupe.

« Vous faites une erreur que j'ai déjà commise, lui ai-je expliqué. J'avais l'habitude de me plaindre à Mel de tout ce qui pouvait m'irriter. Et bientôt, il a cru qu'on ne cessait de s'en prendre à sa douce petite épouse, alors que j'étais parfaitement heureuse au travail. »

Après m'avoir écoutée attentivement, cette Directrice a reconnu les faits : « Mary Kay, vous avez raison. J'ai rapporté mes petits ennuis à la maison et il en a fait un drame, alors que les choses n'ont rien d'aussi terrible qu'il le laisse entendre. ». Elle a donc commencé à raconter à son mari chacun de ses petits succès quotidiens.

Si votre carrière occupe ainsi toutes vos pensées, apprenez à vous en libérer comme on éteint la télé. Il est normal qu'elle ne passionne pas autant les membres de votre famille! N'hésitez pas à leur parler des aspects les plus intéressants de votre travail, mais épargnez-leur vos soucis et motifs de stress. En famille, privilégiez les questions familiales et passez ensemble d'agréables moments. Les femmes de carrière avisées savent qu'en s'accordant le temps de vraiment se consacrer à leur famille elles sauront mieux s'épanouir dans toutes les sphères de leur vie. Réservez donc quelques heures chaque jour aux êtres qui vous sont chers.

Développer une carrière à soi peut être source de plénitude et de grandes satisfactions. On se découvre des forces insoupçonnées, on apprend à triompher de ses faiblesses, mais je crois qu'on court à l'échec si cela nous éloigne de ceux qu'on aime. Toute réussite est bien plus merveilleuse quand on a la chance d'en partager les fruits. Il n'y a rien de palpitant à rentrer seule à la maison et de compter son argent.

10

La liste de 35 000 dollars

PEU APRÈS MES DÉBUTS dans le secteur de la vente directe, on m'a raconté à propos de la gestion du temps une histoire qui allait exercer sur moi une grande influence. Elle avait pour protagonistes une dénommée Ivy Lee, spécialiste de la rentabilité d'entreprise, et Charles Schwab, président d'une compagnie appelée *Bethlehem Steel*, qui deviendrait un géant de l'industrie sidérurgique.

Un jour, Ivy Lee l'appelle et lui dit : « Je peux améliorer votre rentabilité si vous me permettez de passer 15 minutes avec chacun de vos cadres. ». Naturellement, Charles Schwab s'est informé de ce qu'il lui en coûterait. « Si j'échoue, absolument rien, lui a rétorqué Ivy Lee, mais si j'obtiens en trois mois de solides résultats, vous m'enverrez un chèque du montant de votre choix. Marché conclu? »

Le président de *Bethlehem Steel* a accepté. C'est ainsi qu'Ivy Lee a rencontré chacun des cadres de la jeune compagnie pour leur demander simplement d'accomplir cette tâche : pendant trois mois, ils devraient chaque soir dresser une liste de leurs six priorités du len demain en les classant selon leur ordre d'importance.

« En rentrant au travail chaque matin, leur a-t-elle expliqué, commencez par exécuter la première tâche de votre liste, puis cochez-la une fois que vous l'avez accomplie. Et ainsi de suite, jusqu'à la fin. Puis, reportez en tête de votre liste du lendemain les tâches que vous n'avez pu achever dans la journée. »

Au terme de cet essai de trois mois, la rentabilité et les ventes de *Bethlehem Steel* avaient à ce point bondi que Charles Schwab a signé à l'ordre d'Ivy Lee un chèque de 35 000 dollars. Une vraie fortune, à l'époque, pour si peu de travail!

Cette histoire m'a vivement impressionnée. Si cette simple liste valait 35 000 dollars aux yeux de Charles Schwab, me suis-je dit, elle devait bien valoir 35 dollars pour moi. J'ai donc sorti de mon sac une vieille enveloppe sur laquelle j'ai noté les six tâches qu'il me fallait accomplir en priorité le lendemain. Depuis, je n'ai pas omis un seul soir de ma vie de faire ma liste des six priorités.

On m'avait déjà conseillé de faire des listes de tâches, mais cette histoire m'a convaincue de l'efficacité d'une méthode toute simple qui m'a aussitôt permis de multiplier mes revenus. Car tout est affaires de concentration. On se perd facilement lorsqu'on a une foule de choses à faire et qu'on ne sait par où commencer. Pour moi, cette liste a résolu la question. Elle vous oblige à réfléchir aux tâches vraiment importantes, et doit donc rester courte. Évitez ainsi de faire du zèle en y inscrivant 17 tâches; c'est trop découra geant. Six est une quantité facile à gérer. Et si vous devenez experte au point de tout régler en vitesse, continuez de vous en tenir à six tâches, mais choisissez-les plus ambitieuses!

Surtout, faites toujours l'effort de les noter sur papier. Les listes mentales n'ont aucune valeur. C'est facile d'omettre ou de reporter les tâches moins agréables. Sur papier, vos priorités sont concrètes et mesurables!

Il m'arrive d'être trop débordée pour consulter ma liste, puis de constater en fin de journée que j'ai bel et bien accompli tout ce que j'avais prévu de faire. Je crois que c'est l'exercice d'écriture de la veille qui explique ce petit miracle quotidien. Le fait de s'asseoir quelques minutes pour réfléchir à ses priorités nous met dans d'excellentes dispositions pour le lendemain. Notre esprit s'imprègne d'objectifs bien définis qui favorisent l'action et la concentration.

J'ai une autre habitude essentielle, celle d'organiser mon bureau. Comme je déteste travailler à un bureau encombré, je reclasse chaque soir mes documents : projets achevés dans une chemise, projets en cours dans une autre, documents à revoir dans une troisième, etc. Quand je rentre le lendemain, ma secrétaire a déjà réparti mes dossiers en fonction de ma liste de priorités, auxquelles je m'attaque dans l'ordre. Plutôt que de fouiller dans mes papiers pour commencer par les tâches les plus agréables (ce que nous avons tous tendance à faire), je m'astreins donc à cette discipline en accomplissant d'abord la tâche qui figure en tête de liste. Quoi qu'il arrive, et même si je dois y consacrer toute la matinée. Car après coup, c'est classé pour de bon. Je m'assure en effet de traiter chaque dossier en une seule fois. Ce point me semble très important. On fait erreur en délaissant un dossier difficile pour y revenir plus tard, dans l'espoir que la solution se sera imposée d'elle-même. En fait, on le reprend chaque fois du début, et tout est à recommencer. Mieux vaut persévérer et régler chaque chose en son temps. Les mauvais gestionnaires passent plus de temps à s'inquiéter de l'exécution d'une tâche qu'il ne leur en faudrait pour l'accomplir. Souvent par peur de l'échec ou du ridicule. Mais rappelez-vous ceci : si vous ne prenez jamais le risque d'échouer, vous risquez de ne jamais réussir.

Je planifie aussi chaque journée de manière à gagner le maximum de temps. J'ai, par exemple, un magnétophone dans ma chambre, ma cuisine et ma voiture. À tout moment, je peux donc écouter des cassettes de motivation ou dicter mon courrier. Le midi, je mange aussi à mon bureau, n'acceptant que très rarement les invitations de mes associés. Ces « dîners de travail » s'étirent souvent jusqu'au milieu de l'après-midi, et les repas au restaurant m'alourdissent l'estomac. De retour au bureau, j'ai non seulement perdu mon énergie, j'ai perdu ma journée. Je leur préfère donc un léger casse-croûte à mon bureau.

Le temps file à toute allure, et je crois en avoir toujours été consciente. Il n'y a que 24 heures dans une journée, et je veux profiter pleinement de chacune d'elles. Jeune adulte, quelqu'un m'a fait remarquer que se lever tôt trois jours par semaine nous fait gagner une journée. « Si je me lève à cinq heures trois matins, ai-je alors pensé, j'ajouterai effectivement une journée de huit heures à ma semaine.

Et c'est exactement ce qu'il me faut! ».

En portant à six le nombre de ces levers précoces, mes semaines auraient donc neuf jours! Et j'ai vite découvert que j'abattais beaucoup plus de travail pendant ces heures matinales où l'on n'est jamais interrompu par la sonnerie du téléphone ou autrement. Mes semaines de neuf jours sont devenues si productives que j'ai créé un « Club de lève-tôt ».

Depuis, j'invite tout le monde à se lever à cinq heures pour se joindre à mon club, qui regroupe aujourd'hui un nombre étonnant de Conseillères et de Directrices Mary Kay. Bien entendu, certaines sont plus efficaces le soir, et ne pourraient être productives à cette heure matinale, mais nombreuses sont celles qui m'ont écrit : « Vous pouvez maintenant me compter parmi vous! Je me lève depuis quelque temps à cinq heures du matin et j'adore cela! Avant même le réveil des enfants, j'ai accompli une foule de choses! ».

Dans les discours que je prononce devant des associations professionnelles ou communautaires, j'évoque souvent ma liste de 35 000 dollars et mon Club de lève-tôt. Et si je m'adresse à de futures Directrices, je m'informe de celles qui seraient prêtes à se lever à cinq heures pour m'étonner de voir tant de mains levées.

« Formidable, leur dis-je alors. Et si je vous appelais moi-même un de ces matins, à cinq heures trente, pour prendre connaissance de votre liste des six priorités (comme il m'est d'ailleurs arrivé de le faire!), seriez-vous quand même prêtes à vous joindre à mon club? » Le plus souvent, elles lèvent encore la main!

C'est vrai, il est parfois difficile d'amorcer la journée quand on se lève si tôt. C'est pourquoi je suggère de vite faire sa toilette et de s'habiller. Ça me semble essentiel pour les femmes travaillant à la maison. On se maquille, on endosse une jolie tenue, et nous voilà en pleine possession de nos moyens de femme d'affaires. Lorqu'on se sent bien et que l'on paraît bien, on « travaille bien ».

Et tout de suite, attaquez-vous à la première tâche de votre liste de six priorités. Sans jamais succomber à la procrastination!

Certaines petites tâches nous rebutent plus que d'autres. De nombreuses Conseillères retardent ainsi le moment d'appeler leurs clientes, ce qui constitue pourtant un élément essentiel de notre programme de service à la clientèle. Deux semaines après chaque vente, elles sont censées s'informer par téléphone de la satisfaction de chacune, en posant des questions de ce genre : « Vous utilisez bien vos produits de soins de la peau Mary Kay? Et les résultats, ne sont-ils pas aussi formidables que prévu? Vous avez des questions auxquelles je pourrais répondre? ». C'est strictement par courtoisie que nous faisons ces appels, de manière à ce que nos clientes comprennent que leur satisfaction nous importe. Aucune entreprise de cosmétiques dont les produits se vendent dans les grands magasins ne peut offrir cette attention. Chez Mary Kay, ce contact favorise grandement la qualité du service. Il arrive souvent qu'une cliente ait besoin de se faire expliquer une fois de plus l'application correcte d'un produit. Plus rarement, nos Conseillères remplaceront un produit par un autre, mieux adapté à sa peau. Encore plus rarement, elles rembourseront un produit. En connaissant ainsi les besoins et préoccupations de nos clientes, nous pouvons trouver une solution qui conviendra à chacune d'elles.

Bref, chaque Conseillère doit avoir pour priorité absolue d'appeler ses clientes, mais il se trouve qu'elles hésitent parfois à le faire par crainte du rejet. Ce qui peut s'expliquer si l'on s'attend à des réactions comme celles-ci : « Écoutez, je n'ai pas le temps de vous parler » ou pire encore « Je n'aime pas les produits que j'ai achetés. » Une crainte généralement sans fondement, car après deux ou trois appels où elle reçoivent les commentaires enthousiastes de ses clientes, elles reprennent le combiné avec empressement.

Comme je le dis souvent à nos Conseillères et Directrices : « Vous êtes votre unique patronne, mais vous devez être une patronne très exigeante. Si vous désirez vraiment réussir, vous devez suivre un horaire rigoureux. Commencez vos journées à huit heures trente au plus tard, après avoir fini toutes vos tâches ménagères, et fermez boutique à 17 heures. Une demi-heure de dîner, deux pauses-café et c'est tout. », comme pour tout emploi de bureau. À cette différence que d'après nos observations, les Conseillères qui consacrent ces mêmes heures au développement actif de leur entreprise

Mary Kay peuvent facilement gagner deux fois plus qu'une employée de bureau. En témoignent du reste d'innombrables Conseillères et Directrices très prospères.

Dans le domaine de la vente, le temps est un atout inestimable, au point de faire la différence entre échec et réussite si on en fait mauvais usage. En voici un excellent exemple. L'une de nos Conseillères habite en région rurale une petite ville de 7 500 habitants, soit un bassin de clientes fort réduit. Elle parvient toutefois à développer son entreprise Mary Kay dans un rayon de 120 kilomètres grâce à une impeccable gestion de son temps. Jamais elle ne donne un cours à 80 kilomètres de chez elle sans s'assurer d'en planifier un autre dans la même région ce jour-là. Elle s'assure ainsi de rentabiliser ses déplacements au lieu de se rendre si loin pour un seul rendez-vous.

Avec de bonnes techniques de gestion du temps, on peut obtenir des résultats formidables sans nécessairement être un génie, alors que des gens incroyablement talentueux échouent à répétition faute de savoir s'organiser. En fait, ces derniers pensent travailler fort alors qu'ils ne font que s'inquiéter de tout — des lettres qu'ils doivent écrire, des appels et des ventes qu'ils doivent faire etc. Aux Conseillères qui vivent dans cette anxiété, je dis souvent « Une journée d'inquiétude est une journée perdue. Ça peut nous arriver à toutes, mais si vous décidez de travailler, travaillez à fond. Une heure de travail intense vaut plus qu'une journée entière à rêvasser. »

Peut-être est-ce pourquoi les retardataires m'impatientent tellement. J'ai récemment prononcé devant un groupe de femmes d'affaires une conférence sur la gestion et la planification de carrière, alors que ses organisatrices ne savaient même pas gérer leur propre programme! Je devais parler à quatorze heures, et j'avais une heure pour transmettre une foule d'informations rigoureusement condensées. À quatorze heures quinze, les participantes continuaient d'affluer dans l'auditorium, jouant des coudes autour de la table d'inscription. Les soi-disant organisatrices ne savaient même pas gérer une centaine de personnes! Finalement, elles ont décidé de débuter le programme et à quatorze heures vingt-cinq on en était encore à me présenter. Quand j'ai enfin pris la parole, à quatorze heures trente, personne ne s'intéressait à mes propos. J'ai l'habitude de passer mes auditoires en revue pour observer si on prend des notes sur ce que je dis. Évidemment, je n'ai pas vu le moindre stylo. J'ai alors compris que les organisatrices m'avaient induite en erreur en me laissant croire qu'il s'agissait d'une séance de formation, alors que les participantes s'attendaient à une présentation légère et divertissante. J'ai donc délaissé mes notes et raconté quelques anecdotes qui ont semblé les amuser.

Une véritable perte de temps, en somme! Or, chez Mary Kay, on déteste faire perdre son temps à qui que ce soit. Dans chaque réunion, nous poursuivons un but précis (ce qui n'exclut pas l'humour et la bonne humeur!) et allons à l'essentiel, en commençant et en finissant à l'heure prévue. Chaque lundi soir, des milliers de réunions de groupe ont lieu partout au pays. Et nous nous faisons un devoir d'offrir aux innombrables professionnelles de la vente qui y assistent le meilleur exemple possible de rigueur et de ponctualité.

Pendant les dix premières années de ma carrière, j'ai observé des femmes réussir grâce à la liberté qu'elles avaient — et que je n'avais pas — de faire un usage productif de leur temps. Dès que je le pourrai, pensais-je, j'engagerai quelqu'un pour voir à l'entretien de ma maison. Vous y songez aussi? Voici mon conseil : vous ne pouvez vous permettre de faire autrement! Le temps et l'énergie que vous y gagnerez vous profiteront au centuple. Et peut-être prendrez-vous là l'une de vos meilleures décisions de carrière. Car le temps est bel et bien ce que nous avons de plus précieux; faites-en bon usage!

Vous rendez-vous compte que le président des États-Unis dispose du même temps que vous et moi pour accomplir tout ce qu'il fait dans une journée? À dix heures, quand la plupart des gens sirotent leur deuxième café, sans doute a-t-il déjà contacté plusieurs élus, paraphé sept lois et donné une conférence de presse. Pour lui, chacune des 24 heures de la journée se doit d'être éminemment productive. Chacune dispose des mêmes 24 heures dans une journée, or c'est l'usage qu'on en fait qui départage les gagnants des perdants.

Si vous désirez vraiment faire prospérer votre entreprise Mary Kay, j'estime inutile de perdre ne serait-ce qu'une heure à des tâches que vous pouvez déléguer. Comme je le dis souvent à nos Conseillères, une heure au téléphone peut leur rapporter des revenus de vente suffisants pour s'offrir une pleine journée d'entretien ménager. Et très franchement, votre mari devrait accepter sans problème que vous ne repassiez pas vous-même ses chemises.

Outre les moyens financiers, l'autre excuse que j'entends souvent concerne la qualité du travail d'entretien : « Je ne veux engager personne pour faire mon ménage car je suis trop perfectionniste. ». Très faible excuse : personne n'est plus perfectionniste que moi, mais j'ai simplement appris à ma domestique à plier à mon goût chaque serviette, torchon ou vêtement. Vous pouvez aussi montrer à quelqu'un comment faire les choses à votre manière. Si ça vous prend un mois à former cette personne, ce sera du temps bien employé. Dites-vous bien que votre domestique veut elle aussi réussir dans *son* emploi.

Le point à retenir, c'est de déléguer chaque tâche qu'il n'est pas indispensable que vous fassiez personnellement. Pour ma part, j'ai un jour dressé une liste des tâches routinières à répéter quotidiennement, en cochant celles dont je devais absolument m'occuper moi-même. Ce que j'ai ensuite fait avec plus d'efficacité puisque j'avais quelqu'un pour s'occuper de toutes les autres. À vous de faire le tri selon vos priorités. Par exemple, si vous jugez essentiel de faire du bénévolat chez les scouts pour soutenir vos enfants, n'hésitez pas une seconde. Car votre famille vient avant votre carrière.

Lorsque j'ai pris la décision d'engager ma première domestique, j'étais incertaine de pouvoir la payer convenablement. Peu avant, même l'annonce que j'ai passée dans un journal local m'aurait coûté trop cher! D'autant plus que j'avais besoin de quelqu'un qui puisse tout faire : cuisine, rangement, soins des enfants, etc. Et j'avais pris le risque d'indiquer le salaire que j'étais en mesure d'offrir, en me disant que personne n'accepterait de travailler pour si peu.

Une candidate s'est pourtant manifestée dès le dimanche après-midi suivant. Elle s'appelait Mabel et semblait tout à fait charmante. J'étais ravie qu'elle veuille accepter le poste. Ma joie a toutefois été de courte durée, puisque je n'avais pas encore un sou pour la payer alors qu'elle devait débuter le lundi matin suivant.

Eh bien, cette perspective a décuplé ma motivation! En une semaine, j'ai tenu un nombre record de démonstrations et fait quantité de ventes et de recrutement! Je n'avais pas le choix : il me fallait payer Mabel! Tandis qu'elle prenait les rênes de la maison, je récupérais des heures très productives. J'ai donc gagné suffisamment d'argent supplémentaire pour la payer! Par la suite, je lui ai versé son salaire tous les vendredis, suivant une entente qui a merveilleusement fonctionné pendant neuf ans.

Il m'a été si profitable de faire entretenir ma maison que je ne peux m'empêcher de conseiller à toutes les femmes d'en faire autant. Vous récurez encore vos parquets? Arrêtez ça tout de suite! « J'ai frotté des parquets toute ma vie, disait l'une de nos Directrices, aujourd'hui je fais autre chose. » Faites comme elle et gagnez en un minimum de temps plus d'argent qu'il n'en faut pour payer ce service. *Cessez de consacrer des heures précieuses à des tâches bon marché.*

Même si vous n'êtes pas convaincue d'avoir besoin d'une domestique, organisez quand même votre intérieur sur le modèle de votre carrière. Voici à ce propos quelques trucs fort utiles. Je demande à ma domestique de nettoyer à fond une seule pièce par jour plutôt que de passer rapidement dans toutes les pièces. Aspirateur, époussetage dans tous les recoins, toiles d'araignée au plafond, cirage des meubles en bois, etc. Au bout de la semaine, toute la maison reluit de propreté. Même chose pour les tiroirs. Chaque matin, je range moi-même un tiroir, un seul. Un petit effort quotidien qui les maintient de semaine en semaine dans l'ordre que j'affectionne.

Pour les repas, l'organisation de vos courses vous fera aussi gagner un temps considérable. La plupart des femmes font leur marché trop souvent. Certaines s'arrêtent même chaque soir à l'épicerie, en rentrant du travail. Avec un gros marché par semaine, on gagne temps et argent. On économise l'essence, bien entendu, mais on évite surtout les achats inutiles. Le chariot à provisions est une tentation permanente : on le remplit machinalement jusqu'à vider son portefeuille. J'ai toujours pensé que son inventeur devait être un véritable génie de la vente. Pour éviter la tentation et rentabiliser votre temps, faites toutes vos courses avec une liste à la main. Dans ma cuisine, j'inscris sur un tableau les articles dont j'ai besoin au fur et à mesure qu'ils doivent être remplacés. J'en fais une liste avant d'aller faire mon marché, et je ne fais aucun écart. Très populaires, les coupons de réduction permettent aussi de bonnes affaires, et j'avoue qu'il m'est toujours agréable de réduire ainsi le total de mes achats. Comme il faut un temps fou pour les trier, je les classe par ordre alphabétique dans un fichier, et j'en retire ceux dont j'ai besoin quand je vais faire des courses. J'économise ainsi quelques dollars sans perdre de temps inutilement.

Même en ayant une domestique, on doit tout de même faire passablement de cuisine. Pour ma part, j'adore cuisiner. J'y vois une forme de détente et une promesse de convivialité. J'aime notamment préparer de bons petits déjeuners et offrir aussi aux miens des biscuits maison. Il ne manque pas d'imitations qu'on peut faire réchauffer au four à micro-ondes. Je préfère toutefois les préparer de A à Z. J'ai d'ailleurs trouvé une façon de gagner du temps en préparant le mélange d'ingrédients secs en grande quantité que je range sur une tablette. Chaque matin, il ne me reste qu'à incorporer le lait à la quantité de mélange nécessaire, rouler la pâte et mettre les biscuits au four. Le temps qu'ils cuisent, j'ai fini de préparer le bacon et les œufs. Je me sers aussi du même mélange pour faire des crêpes en y ajoutant un peu plus de lait et des œufs. Ma façon de préparer les biscuits n'a rien d'exceptionnel, elle vous montre simplement qu'il est possible de gagner du temps sans pour autant sacrifier les petits bonheurs familiaux. Ça demande simplement un peu de planification. Souplesse et créativité sont de nos jours indispensables à qui veut se nourrir sainement. Dans nos familles de plus en plus éclatées, on mange souvent à des heures variées des plats plus ou moins nutritifs. De nombreux Américains ont fait du restaurant leur seconde salle à manger tant ils y vont régulièrement. C'est de fait une solution pratique, une occasion de se réunir en famille, une pause à se ménager de temps à autre. À mon avis, il faut cependant éviter d'en faire une habitude et tenir compte des mises à garde concernant les taux de matière grasse, de sucre et de sel qui entrent dans la préparation des plats au menu de la plupart des restaurants.

L'une de nos meilleures Conseillères, qui vit sur l'île de Guam, est devenue experte dans l'organisation des repas. Pensez à elle quand vous n'avez aucune envie de faire la cuisine. Son mari et ses dix enfants tenaient beaucoup à une coutume de l'île selon laquelle chaque famille se retrouve le midi autour d'un repas chaud. Elle parvenait à respecter cette coutume tout en donnant deux cours de soins de la peau par jour, six jours sur sept, ce qui lui a valu d'être couronnée reine des ventes de son groupe. J'ai un jour fait sa connaissance et j'en ai bien sûr profité pour m'enquérir de son secret.

Sa méthode consistait à réserver tous ses samedis à la coordination des repas de la semaine, que sa famille l'aidait à cuisiner. Tout allait ensuite au congélateur. À chaque petit déjeuner, les enfants dressaient la table, mangeaient, desservaient et faisaient la vaisselle, avant de dresser à nouveau la table en prévision du midi. Avant de se rendre à son cours de neuf heures, notre Conseillère glissait un plat congelé au four et en réglait la minuterie. De retour à 11 heures et demie, elle vérifiait la cuisson et, dès midi, mari et enfants prenaient place à la table. Une heure et demie plus tard, le cycle se répétait et elle repartait pour l'après-midi. À 16 heures, elle était à la maison pour accueillir ses enfants au retour de l'école et entamait sans hâte la préparation d'un repas léger pour le soir.

Un sens de l'organisation à toute épreuve! Et l'un des meilleurs exemples à suivre, car il repose sur la délégation minutieuse d'une foule de petites tâches. Comme je l'ai dit, mes enfants m'aidaient à assembler mes commandes, mais je leur confiais aussi plusieurs autres responsabilités. Cela me semble essentiel à une éducation fondée sur de véritables valeurs, quel que soit le niveau d'aisance financière du foyer. Ils rangeaient leur chambre, lavaient la vaisselle, sortaient les ordures et faisaient un peu d'entretien paysager. Et pour éviter les chamailleries sur le tour de chacun, j'avais créé un système de reconnaissance et de rendement qui me semblait marqué au coin du bon sens, et dont on applique aujourd'hui le principe dans certains milieux de gestion des ressources humaines. Quoi qu'il en soit, ce système fonctionnait à merveille. Je répartissais les tâches et détaillais pour chacun les critères d'excellence à remplir. Je notais les progrès quotidiens sur une affiche dans la cuisine, puis je notais au jour le jour les résultats à l'aide d'étoiles rouges, argent et or, suivant l'efficacité avec laquelle chacun s'acquittait de ses responsabilités. Au bout de la semaine, je calculais leur argent de poche selon leur performance. Dans les rouages de ce système entrait bien sûr beaucoup d'amour, de compréhension et d'encouragement. Je crois aussi qu'il a appris à mes enfants que succès et récompenses sont le fruit du travail et de l'effort.

J'ai toujours à l'esprit la loi de Parkinson sur l'organisation : « Toute somme de travail se condense suivant le temps dont on dispose. ». Rien de plus vrai. Rappelez-vous ce samedi matin où des amis de l'extérieur vous ont téléphoné pour vous rendre une visite inopinée. « Bonjour! Nous sommes à l'entrée de la ville et nous devrions être là dans 30 minutes! ». N'avez-vous pas fait tout votre ménage du printemps dans la demi-heure dont vous disposiez? Et ce voyage inattendu qui ne vous laissait que trois heures pour boucler toutes vos valises alors que ça vous prend en général deux jours? Eh bien, vous avez appliqué sans le savoir la loi de Parkinson.

L'une des applications que j'en fais moi-même consiste à déterminer pour chaque petite tâche une échéance précise. Quand je faisais mon propre repassage, je m'imposais de consacrer trois minutes seulement à chaque chemise. Je faisais chaque lit en deux minutes, ou je tentais de nettoyer en dix minutes chaque recoin de ma cuisine. C'était devenu un jeu très stimulant, qui me faisait gagner au bout de la journée des heures précieuses. Le temps est trop précieux pour être gaspillé!

11

Planifiez votre vie comme vous planifiez vos vacances

QUE FAITES-VOUS EN VACANCES? Vous aimez la plage pour vous détendre et vous amuser? Vous visitez une grande ville pour découvrir de nouvelles sensations? Quelles que soient vos préférences, les vacances nécessitent d'être bien planifiées. Si vous optez pour un lieu de villégiature où vous prélasser en bord de mer, vous devrez prévoir tout ce qu'il faut pour vivre de pleines journées au soleil, avec leurs avantages et leurs inconvénients. Ces préparatifs se feront dans la *joie*, puisque vous goûterez au plaisir de vacances reposantes. Il en va de même pour la découverte d'une ville. Vous avez besoin d'une carte routière pour vous diriger, vous vous y perdez avec toutes ces rues à sens unique et ces bretelles d'accès visibles à la dernière minute. Vous pouvez passer une demi-journée au sommet de l'*Empire State Building* ou à contempler les monuments de Washington, D.C. Vous y consentez avec joie puisque vous aimez l'*aventure*. Certains adorent marcher des heures durant dans les rues d'une capitale européenne, mais de retour chez eux, sautent dans un taxi pour franchir trois pâtés de maisons. C'est toute la magie des vacances : ouvrir notre esprit, élargir nos horizons pour apprendre des choses nouvelles et passionnantes.

Que diriez-vous alors d'aborder chaque journée de votre vie professionnelle avec le même enthousiasme et le même goût de l'aventure? D'élargir vos horizons en apprenant une foule de choses passionnantes? De travailler dans la joie et le plaisir?

Eh bien, je crois que c'est tout à fait possible. À trois conditions. Premièrement, choisir un travail que vous adorez, qui vous offre des défis et vous permet d'exploiter vos forces. Deuxièmement, planifier chaque journée de façon aussi détaillée que vous planifiez vos vacances. Troisièmement, envisager votre carrière comme un moyen de vous épanouir, de vivre intensément et de vous amuser.

Choisir un travail qu'on aime est à la fois simple et difficile. La difficulté consiste à bien réfléchir à la femme que vous êtes et à ce qui vous rend heureuse. Cette première étape franchie, les choses se simplifient. N'étant pas psychologue, je ne prétendrai pas connaître ce qu'il vous faut découvrir en faisant cet exercice de découverte de soi, mais je crois utile de commencer par déterminer vos véritables forces et les choses qui ont le plus d'importance à vos yeux. Comme vous le savez, je crois beaucoup à l'utilité des listes. Et face à tout problème un peu complexe, j'ai l'habitude de dresser la liste des aspects positifs et négatifs qui sont en jeu afin de trouver la meilleure solution possible. Je ne sais trop pourquoi, mais mon cerveau fonctionne mieux quand j'ai sous les yeux tous les faits notés sur une feuille. Par exemple, j'ai compris très jeune que je désirais faire un métier me permettant d'aider les gens, de me dépasser, de relever des défis et de bien gagner ma vie pour le bien-être de ma famille. J'ai d'abord pensé à la médecine, mais j'ai découvert que la vente répondait parfaitement à ces besoins, puis je me suis lancée en affaires.

Ayant déterminé ce que j'attendais d'une carrière, il me restait à élaborer un plan. Ne vous êtes-vous pas déjà levée un samedi matin sans avoir rien planifié, commençant une chose et l'autre sans rien terminer et, le soir venu, vous recouchant avec la déprimante sensation d'avoir perdu votre journée? Dites-vous que pas mal de gens ne terminent ainsi jamais rien d'une semaine, d'un mois et d'une année à l'autre, et vieillissent finalement sans avoir rien accompli.

Cela ne les empêche pourtant pas de planifier soigneusement leurs vacances. Imaginez qu'en rentrant du travail, votre mari vous annonce qu'il aura deux semaines de vacances à partir du 1er août.

N'avez-vous pas soudain la tête pleine d'idées et de plans à réaliser?

« Merveilleux, lui direz-vous peut-être. Voyons voir. Où pourrions-nous aller? Comment nous y rendre? Où dormirons-nous? Quels vêtements prévoir pour les enfants? »

Aucun détail ne vous échappera. Et bientôt, votre plan de vacances sera parfaitement au point. Le premier jour de vos vacances, vous savez exactement ce que vous ferez, ce qui vous vaudra de passer un séjour extraordinaire.

Pourtant, au retour des vacances, la plupart des gens retombent dans leur routine. Ils se lèvent le matin, se précipitent au travail, refont toute la journée les mêmes gestes que la veille, rentrent le soir, regardent la télévision et vont se coucher. À la fin de la semaine, rien n'a changé, vous êtes encore à la case départ. Les mois passent, puis les années, sans que rien ne change jamais. C'est ainsi que sans objectif, on peut gâcher une vie entière en ressassant une frustration et une insatisfaction profondes.

Si vous choisissez de vous rendre en voiture au lieu de vos vacances, vous ne quittez pas la maison sans une carte routière. Il devrait en aller de même pour votre vie. Sans un plan — la carte routière de votre itinéraire de vie — vous n'arriverez jamais à destination. On n'accomplit rien d'important sur terre sans réfléchir au préalable à ses objectifs à long terme, qui prennent une tournure vraiment concrète quand on en fait la liste détaillée.

Cette liste pourra sembler impressionnante car on s'y projette dans un avenir idéal, mais comme le dit le vieux proverbe chinois : « Le voyage le plus long commence par un tout petit pas.». Autrement dit, pour accomplir de grandes choses, il faut réaliser un petit objectif à la fois. Nous incitons ainsi nos Conseillères à donner cinq cours de soins de la peau pendant leur première semaine en affaires. Cela pour leur enseigner l'importance de se fixer des objectifs à court terme parfaitement réalisables, puis de passer à des objectifs plus ambitieux à mesure qu'elles gagnent en assurance.

Par ailleurs, un bon objectif ressemble à un exercice d'étirements : il vous permet chaque fois d'aller un peu plus loin. Il doit donc être minimalement exigeant. Quand je parle de « décrocher la lune », il ne s'agit évidemment pas d'avoir des objectifs ridiculement ambitieux. Il s'agit de se dépasser, de viser aussi haut que possible. Car si on rate la lune, au moins se retrouvera-t-on parmi les étoiles!

Au terme d'un événement de motivation, je parlais récemment à une Conseillère si emballée qu'elle s'était jurée de totaliser 1 000 dollars de ventes au détail dès la semaine suivante. Or, sa moyenne se situait à 400 dollars. Je lui ai suggéré l'objectif plus réaliste de 500 dollars, puis de diviser cette somme en cinq objectifs quotidiens de 100 dollars. Avec un cours de soins de la peau par jour, elle réussirait sûrement de telles ventes. Si un cours se révélait moins productif que prévu, elle pourrait encore faire quelques appels auprès de clientes ayant besoin de renouveler leurs produits.

Quel que soit votre objectif ultime, il est indispensable de le répartir en objectifs quotidiens, puis de tout mettre en œuvre pour atteindre ces objectifs plus petits. Car s'il vous manque 20 dollars une journée, puis 40 dollars le lendemain, vous risquez de vous décourager et de tout abandonner.

Voici un autre exemple. Une jeune femme très ambitieuse m'a un jour demandé conseil à propos d'un projet fort irréaliste. Ne possédant qu'un minimum d'expérience dans la vente au détail, elle désirait ouvrir simultanément une chaîne de boutiques dans les grandes villes des États-Unis, et même au Canada, sans jamais mentionner comment elle comptait gérer sa première boutique.

« Que diriez-vous d'ouvrir d'abord une seule boutique dans votre propre ville, lui ai-je plutôt suggéré, pour acquérir le maximum d'expérience et en faire la meilleure boutique qui soit. Vous apprendrez de vos erreurs et pourrez ensuite ouvrir une ou deux autres boutiques. Bientôt, vous saurez résoudre les problèmes de gestion les plus inattendus et pourrez miser sur cette réussite initiale pour vous développer dans un État voisin, puis un autre. En procédant ainsi pas à pas, vous serez tôt ou tard à la tête de votre chaîne nationale. ».

En somme, je lui ai proposé de s'attaquer d'abord à des objectifs réalisables à court terme. Sinon, son merveilleux rêve se heurterait à la dure réalité des faits. C'est bien de voir les choses en grand, mais pour concrétiser ses rêves, il faut se fixer de petits objectifs qui nous apprennent à nous surpasser au quotidien. Pour illustrer cette méthode, voici un autre dicton : « On peut manger un éléphant, mais il faut s'y prendre une bouchée à la fois. ».

Notre monde est peuplé de gens qui ressassent leurs rêves sans faire le premier geste pour les réaliser. Cet immobilisme s'explique souvent par une incapacité à gérer des objectifs précis, mais plus souvent encore par la crainte d'échouer. La peur de l'échec est parfois si forte qu'elle empêche toute prise de risque. Le seul moyen de vaincre cette peur consiste à s'armer de courage et de volonté, puis à passer à l'action. C'est en osant accomplir ce qui nous fait peur qu'on peut vaincre nos peurs. Oui, vous commettrez des erreurs en cours de route, mais vous en tirerez des leçons inestimables. Comme je l'ai dit, l'erreur sert de tremplin au succès. Vous connaîtrez des déceptions, mais chaque déception vous indiquera une voie de rechange. À vous d'emprunter cette voie, d'imaginer vos propres solutions. Surtout, persévérez. Quand un obstacle vous barre la route, faites le tour, passez par-dessus ou au travers, mais persévérez. Ayez confiance en vous et la solution viendra. Les obstacles peuvent nous stimuler ou nous décourager. Tout est affaire d'attitude et de détermination. Le plus scintillant des diamants n'était au départ qu'un morceau de charbon jusqu'à ce qu'il soit soumis à une grande pression pour ensuite être poli à la perfection.

J'ai parlé au chapitre précédent de l'importance d'établir par écrit un plan quotidien en dressant sa liste de ses six priorités du lendemain. Voyons comment étendre la portée de cette méthode. À l'aide d'une barre de savon, j'avais l'habitude d'inscrire mes objectifs hebdomadaires sur le miroir de ma salle de bains! Évidemment, j'en informais ainsi toute ma famille. Si je visais cette semaine-là dix cours de soins de la peau, je faisais dix traits sur le miroir. À chaque cours donné, je biffais un trait. Grâce à ce rappel visuel, mes objectifs s'imprégnaient dans mon esprit. Pas question de les perdre de vue! Et si une cliente annulait un rendez-vous, je redoublais d'ardeur pour en obtenir un autre, parce que je m'étais promis de donner dix cours. Je faisais de même pour d'autres objectifs. Si je voulais recruter deux nouvelles Conseillères, je l'écrivais sur le miroir.

Mon miroir me rappelait donc constamment à mes objectifs, mais ce n'était pas encore suffisant. Je les notais aussi sur des cartons que je fixais un peu partout : sur le frigo, au pare-soleil de ma voiture, sur mon bureau, etc. De sorte qu'ils s'enracinaient dans mon inconscient et que mon cerveau produisait sans arrêt une foule de moyens pour les atteindre. En quelque sorte, je programmais ma réussite. Et comme j'en informais toute la maisonnée, chacun suivait mes progrès et m'encourageait au jour le jour.

N'est-il pas périlleux d'informer tout le monde de ses objectifs, m'a-t-on parfois demandé? Et si on ne parvient pas à les atteindre? Il me semble au contraire très stimulant d'annoncer autour de soi ce qu'on désire accomplir. Pour l'illustrer, voici le récit d'une expérience que j'ai vécue en début de carrière.

Il y avait trois semaines seulement que je travaillais pour *Stanley Home Products*, et je voulais à tout prix assister à Dallas au congrès annuel de l'entreprise. Mes ventes plafonnaient à sept dollars par démonstration, et je comptais sur ce congrès pour me motiver et me perfectionner. J'habitais alors Houston; le billet de train et les trois jours à l'hôtel me coûteraient 12 dollars. Sans le sou, j'ai emprunté cette somme à une amie, qui n'a pu s'empêcher de me faire un sermon. Elle aurait préféré que je l'utilise pour acheter des chaussures à mes enfants plutôt que d'assister à l'un de « ces affreux congrès où vont les hommes sous n'importe quel prétexte ».

J'avais une seule robe de rechange, que j'ai fourrée dans ma mallette de travail car je ne possédais aucune valise. J'ignorais si les repas étaient compris. J'ai donc apporté un demi-kilo de fromage et une boîte de craquelins (aujourd'hui encore, il m'arrive de me réfugier dans ma chambre avec des craquelins et du fromage). Bien sûr, je ne pouvais offrir le moindre pourboire au personnel de l'hôtel, que je remerciais de mon plus beau sourire. Une tactique qui n'a pas été plus appréciée alors qu'elle le serait aujourd'hui.

Tous mes efforts ont cependant été récompensés, car ces trois jours ont marqué dans ma vie un tournant majeur. Pour le clou de l'événement, on a couronné une représentante reine des ventes annuelles en lui remettant un splendide sac à main en alligator.

Du plus profond de mon âme, j'ai voulu moi aussi briller sous les projecteurs. J'étais assise aux derniers rangs compte tenu de mes faibles résultats de vente. Avec ma moyenne de sept dollars par démonstration, c'était difficile de faire moins. Par ailleurs, je ne pouvais être plus différente de la reine de la soirée, une grande brune très mince et très sûre de sa réussite. Je n'étais ni grande ni très mince, et j'étais assurément la représentante aux plus piètres résultants dans la salle! Quoi qu'il en soit, cette couronne, ce sac en alligator et, surtout, cette reconnaissance, cette ovation de la salle, m'ont à ce point impressionnée que je me suis jurée d'être couronnée reine dès l'année suivante.

« Accrochez votre wagon à une étoile », avait-on dit pendant le congrès. Autrement dit, inspirez-vous des succès d'une personne que vous admirez. Et je ne pouvais trouver meilleure inspiration que cette reine des ventes. « Faites-vous guider sur la bonne voie », nous avait-on également suggéré. Comme l'entreprise ne publiait aucun guide ou manuel de techniques de vente, je suis allée voir la reine du congrès pour la supplier de me laisser assister à l'une de ses démonstrations pour apprendre de son exemple. Je crois qu'elle en a été flattée (j'étais éperdue d'admiration!), et j'ai noirci pendant la soirée 19 pages de notes. J'avais trouvé ma voie, et ce carnet deviendrait mon tremplin vers le succès.

« Dites à quelqu'un quels sont vos objectifs » : telle a été la dernière leçon de ce congrès, une leçon dont j'ai instinctivement compris l'importance. En effet, il n'y a aucune raison de tenir secrets ses rêves les plus chers. Au contraire, plus on en parle, plus on se sent le devoir et l'énergie de les réaliser! Mais à qui confier sans plus attendre mon rêve d'être couronnée reine des ventes? Et pourquoi pas au président de *Stanley Home Products*, me suis-dit? Essayez d'imaginer la situation : un congrès réunissant des milliers de participants, dont cette petite Mary Kay portant un chapeau si affreux que ses collègues s'en moqueraient pendant dix ans (le pire étant que je ne m'en suis aperçue qu'au bout de la dixième année!), et qui a l'audace de traverser la foule pour aller s'adresser à Frank Stanley Beveridge lui-même, pour lui annoncer avec un aplomb extraordinaire : « L'an prochain, c'est moi qui serai reine des ventes. »

Il aurait pu s'esclaffer d'un grand rire, car je devais avoir l'air parfaitement idiote. Et s'il avait su que mes ventes moyennes s'élevaient à sept dollars par démonstration, il l'aurait certainement fait. Il a plutôt plutôt pris mes mains dans les siennes et, me regardant droit dans les yeux, m'a dit ces mots qui ont littéralement changé ma vie : « Vous savez, je suis sûr que vous y arriverez. »

Sans doute a-t-il aussitôt oublié ma petite intrusion, mais ces mots se sont aussitôt gravés dans ma mémoire. J'ai annoncé à tout le monde mon intention d'être la prochaine reine des ventes, en précisant que le président croyait en ma réussite. Il n'était pas question de le décevoir.

Pendant toute l'année qui a suivi, j'ai réussi à force d'échecs. Ayant mémorisé mes 19 pages de notes, et malgré nos personnalités fort différentes, j'ai adopté les méthodes et expressions de ma reine des ventes. Après tout, elle avait bien réussi où j'avais moi-même échoué. Mes ventes ont instantanément bondi, de 7 à 28 dollars par démonstration. Peu à peu, j'adapterais par la suite ces phrases à ma propre personnalité.

Et de fait, j'ai obtenu comme prévu ma couronne de reine des ventes. Toute l'année, je m'étais imaginée déambulant dans les rues avec ce superbe sac en alligator qu'ils avaient offert l'année précédente et que je n'avais pas les moyens de m'offrir. J'avais même découpé la photo d'un sac semblable dans un magazine pour me rappeler mon objectif. Ce n'est qu'une fois couronnée que je me suis rendue compte qu'on avait changé le prix remis à la lauréate. Je ne me rappelle plus ce que c'était, mais ce n'était pas un sac en alligator!

Quoi qu'il en soit, j'avais obtenu ma couronne en me fixant un objectif correspondant à mon rêve, puis en le divisant en une foule de petits objectifs réalistes et en annonçant au monde entier que je serais reine des ventes.

Chez Mary Kay, nous avons toujours préconisé de détailler ainsi chaque étape permettant de gravir l'échelle du succès. Cela pour simplifier chez nos Conseillères la détermination de leurs propres objectifs. Dans la plupart des entreprises, personne ne vous indique jamais la voie à suivre pour progresser. Vous devez travailler sans relâche jusqu'à ce qu'on vous dise un jour : « Surprise, voici une promotion! » Or, j'étais convaincue qu'en sachant ce qu'il faut faire pour réussir, on réussit d'autant mieux qu'on détient un véritable guide de réussite.

Si vous choisissez une carrière répondant à vos besoins réels et planifiez chaque étape nécessaire à la réalisation de vos objectifs, vous en viendrez tout naturellement à travailler dans la joie et le plaisir. Et vous verrez que la vie peut être un splendide flambeau à transmettre fièrement aux générations futures, plutôt qu'une petite bougie à la flamme vacillante!

12

Comment réussir dans un milieu d'hommes? En redoublant d'ardeur!

PEU IMPORTE QUE VOUS SOYEZ MARIÉE, célibataire, veuve ou divorcée. Vous êtes une femme et le monde des affaires ne vous fera pas de cadeau, car de nos jours encore, cela reste un milieu d'hommes. Il suffit de parler gros sous pour s'en convaincre. Près de la moitié de la main-d'œuvre américaine est féminine; 53 pour cent des femmes de plus de 16 ans travaillent (ou cherchent du travail) hors du foyer. Pourtant, les femmes ne gagnent toujours que 70,6 pour cent du salaire des hommes.

On me demande souvent comment j'ai pu réussir dans un milieu ainsi dominé par les hommes. En fait, je n'en sais rien. Sauf ceci : j'étais d'âge moyen, je souffrais de varices et je n'avais pas une minute à perdre.

L'attitude que j'ai toujours cultivée vis-à-vis de moi-même et de mes ambitions de carrière m'a été grandement inspirée par une femme d'exception : ma mère. Jamais elle ne m'a dit que j'étais incapable de faire quoi que ce soit. Au cours de mon premier mariage, j'ai concrétisé un rêve de jeunesse en entreprenant des études universitaires. D'autres auraient incité leur fille à se fixer un « objectif plus réaliste », mais ma mère m'a sans cesse encouragée à continuer. Ancienne infirmière, elle avait vécu l'époque où ce métier était considéré comme subalterne dans le secteur de la santé. Pas question d'être la « servante d'un docteur ». « Deviens toi-même médecin », m'a-t-elle conseillé.

Comme je l'ai raconté, j'ai finalement changé de voie pour épouser une carrière mieux adaptée à mes forces et besoins. Cette confiance de ma mère à mon égard m'a par ailleurs convaincue que je pouvais réussir tout ce que j'entreprenais.

Ces forces qui sont les miennes, j'y ai de nouveau fait appel en fondant Les Cosmétiques Mary Kay contre l'avis de tous. En vérité, je n'ai fait que semer la graine de ce qui est aujourd'hui un chêne immense, mais cette croissance a eu lieu parce que nous avons su répondre aux besoins des femmes de carrière comme aucune autre compagnie ne l'avait fait jusque-là. Nous offrons aux femmes la chance de s'épanouir à la pleine mesure de leurs capacités.

J'ai récemment entendu cette excellente description des besoins des femmes : elles ont besoin de bons parents et d'une bonne santé jusqu'à l'âge de 14 ans, d'un physique agréable entre 14 et 40, d'une forte personnalité entre 40 et 60, puis d'une bonne somme d'argent à leur retraite. Cette description m'a semblé intéressante, sauf que les femmes ont aujourd'hui besoin d'argent bien avant la soixantaine pour faire face à la situation économique.

Le marché du travail américain compte à l'heure actuelle plus de quarante millions de femmes. Un chiffre appelé à augmenter puisqu'il coûte de plus en plus cher pour élever des enfants, utiliser les services de santé et offrir les biens indispensables au mieux-être des familles. Or, les femmes sont plus instruites que jamais. Elles sont plus nombreuses que les hommes à posséder un baccalauréat et presque aussi nombreuses à posséder un doctorat (49 pour cent contre 51 pour cent d'hommes). Il y a donc belle lurette qu'on ne voit plus le travail des femmes comme une transition entre la fin de leurs études et leur mariage.

À mon humble avis, beaucoup de femmes travaillant à l'extérieur sont particulièrement remarquables. Excellentes épouses et mères, elles participent à diverses activités sociales, s'intéressent à tout et en savent davantage sur ce monde que jamais auparavant.

Pourtant, j'ai lu dernièrement un rapport qui m'a atterrée. Il s'agit d'une enquête du *National Industrial Conference Board* de la ville de New York, un organisme de recherche indépendant à but non lucratif fondé en 1916 par des industriels américains afin de produire des données objectives sur les tendances et pratiques économiques.

Selon ce rapport, les salaires masculins ont augmenté suivant l'inflation, contrairement aux salaires des femmes restés stagnants. Proportionnellement, nous serions ainsi moins bien payées qu'en 1939! De sorte que même après la loi de 1963 sur l'équité salariale, les femmes ne gagneraient en moyenne que 62 pour cent du salaire des hommes. En conséquence, vous comprendrez ma fierté de vous dire qu'une Directrice nationale des ventes Mary Kay touche en moyenne plus de 100 000 dollars par année. Des analystes financiers ont établi qu'on trouve chez Mary Kay plus de femmes gagnant annuellement plus de 50 000 dollars que dans toute autre entreprise américaine. Vous serez d'accord avec moi pour dire qu'il s'agit de revenus « dignes d'un homme »! Plus fascinant encore : toutes ces femmes enseignent chaque jour à d'autres femmes les moyens de connaître la même réussite qu'elles.

Gagner moins que mes collègues masculins me perturbait énormément. Je savais qu'une femme devait être deux fois plus compétente pour gagner autant. Mais en tant que jeune femme de carrière sans le sou, je rageais carrément lorsqu'un employeur réagissait à mes idées et propositions en ces termes : « Ça y est, encore des idées de femme! »

À l'époque, les « idées de femme » étaient considérées comme idiotes ou sans intérêt. J'ai du mal à y croire aujourd'hui, mais la plupart des femmes n'y voyaient d'ailleurs rien à redire. Il y avait si longtemps qu'elles étaient perçues comme des citoyennes de second ordre qu'elles subissaient sans réagir ce lavage de cerveau. C'est vrai, les femmes pensent souvent différemment des hommes, mais leurs idées n'ont évidemment rien d'inférieur ou d'incompatible au regard de la pensée masculine. En vérité, il est souvent avantageux et très profitable de « penser comme une femme »!

Je crois en effet que nous avons des qualités d'intuition qui nous sont propres. En voici un exemple. Il y a un certain temps, je traversais l'entrée d'un grand hôtel en compagnie de deux hommes de notre personnel de direction, avec qui je me rendais à une réunion. L'hôtel grouillait de Conseillères Mary Kay qui nous interpellaient sans arrêt. Puis, nous avons croisé deux femmes qui n'ont pas réagi à notre passage. Je me suis aussitôt tournée vers elles : « Quelque chose ne va pas? Pouvons-nous vous être utiles? »

Nos Séminaires attiraient déjà tant de participantes qu'elles-devaient porter des insignes d'identité. Et justement, ces deux femmes semblaient désemparées d'avoir perdu les leurs. J'ai pris les dispositions nécessaires et tout s'est réglé en quelques minutes.

En reprenant la route de notre salle de réunion, l'un des cadres à mes côtés s'est adressé à moi, l'air ahuri : « C'est incroyable! Comment avez-vous pu deviner qu'elles avaient besoin d'aide? Nous les avons simplement croisées! »

— « Je n'en sais rien, ai-je répondu. Je l'ai senti, c'est tout. »

Ces deux hommes ne pouvaient comprendre qu'un simple coup d'œil m'avait suffi à détecter un problème. Or, je crois que les femmes sont plus sensibles à ce genre de subtilités, à ces signaux invisibles que lancent les gens et remarquent ainsi des choses que les hommes ne voient pas.

Nos Conseillères sont souvent tout aussi intuitives, déchiffrant le sens caché sous des propos parfois contradictoires. Supposons qu'une de leurs clientes potentielles vienne d'appliquer des produits de soins de la peau et de maquillage. Se regardant dans la glace, elle se trouve radieuse et multiplie les remerciements avant de lancer cette petite phrase : « J'achèterai peut-être quelques produits une autre fois... ». Notre Conseillère se dira qu'il y a anguille sous roche. Surtout si cette femme ajoute, contre toute évidence : « Finalement, je ne suis pas si sûre d'aimer le résultat. » Forte de son intuition et d'un bon sens de l'observation, cette Conseillère devinera que la femme en question est en réalité incertaine de pouvoir s'offrir les produits convoités. Elle pourra alors lui dire ceci : « Vous ai-je dit que vous pouvez obtenir les produits que vous désirez en organisant chez vous un cours de soins de la peau? ».

La plupart du temps, on s'empresse de saisir cette chance de se procurer gratuitement des produits de qualité et de transmettre son enthousiasme à quelques amies.

L'ouverture de nos tout premiers locaux du *Exchange Park Mall* a donné lieu à une autre manifestation éloquente de l'intuition féminine. Comme vous l'imaginez sans peine, j'avais désespérément besoin de Conseillères. J'avais donc inventé la « règle du mètre », qui consistait à proposer à toute personne passant à moins d'un mètre de moi d'être Conseillère! Le jour de l'inauguration, j'en avais recruté neuf.

Il y avait parmi ces neuf personnes un homme particulièrement enthousiaste et débordant d'idées. Il m'est apparu comme un véritable gagnant. En ce premier jour, pourtant, je me trouvais à ses côtés et cette phrase m'a soudain échappé : « Je suis désolée, mais je ne crois pas que vous ferez l'affaire. » Qu'il soit un homme ne me gênait aucunement, et je ne pouvais appuyer cette impression sur aucun fait. Seule mon intuition me disait que quelque chose n'allait pas.

Rappelez-vous, c'était notre tout premier jour. J'avais englouti toutes mes économies dans ce projet. Si j'échouais, je perdrais tout et il faudrait que je retourne travailler pour quelqu'un d'autre. « Ce type a tout pour lui, il est absolument épatant », me disait mon cerveau. « Suis ton intuition, ma belle, quelque chose ne tourne pas rond chez lui », me disait cependant mon cœur.

L'homme est entré dans une colère abominable : « Vous verrez, me dit-il, je vais lancer ma propre entreprise de cosmétiques et vous faire une concurrence féroce. » Je lui répondis « Hé bien, bonne chance! »

Six mois plus tard, j'ai découvert en lisant le journal qu'il venait d'être inculpé de malversations criminelles. S'il était resté parmi nous, qui sait dans quel pétrin nous nous serions retrouvés!

L'intuition n'est qu'une des qualités dont Dieu a gratifié les femmes. La féminité en est une autre. Je crois profondément qu'Il nous a voulu féminines pour une excellente raison et que nous devons mettre en valeur cet aspect de nous-mêmes. Il va sans dire que toutes les femmes doivent pouvoir mener leur carrière comme elles l'entendent, mais à mon avis, elles devraient conserver une attitude et une apparence féminines. Rien ne justifie qu'une femme de carrière se comporte comme un homme. Cela m'attriste toujours de voir une femme fumer la cigarette, par exemple. Ou pire, proférer des jurons. Hélas, j'en ai vu qui n'ont rien à envier aux hommes en matière de vulgarité.

Je me rappelle une réunion où j'étais la seule femme. « Eh bien, Mary Kay, je suppose qu'il nous faudra surveiller ce que nous dirons », a observé un participant. Ce à quoi j'ai rétorqué : « Messieurs, je suis ravie d'être parmi vous et je ne demanderai aucun traitement de faveur, mais si vous désirez en profiter pour soigner votre langage, n'hésitez surtout pas. ».

C'est tout simple, les femmes qui se comportent avec distinction incitent les hommes à se comporter en gentleman.

Si je prévois d'être l'unique femme d'une rencontre d'affaires (ce qui reste assez courant de nos jours), je fais un effort particulier pour être aussi élégante que possible (peu importe que je sois arrière-grand-mère!). Les hommes, me semble-t-il, respectent les femmes qui conservent leur féminité et réagissent plus favorablement à leur égard.

Toujours quand je suis la seule femme d'un groupe, j'ai appris qu'il vaut mieux me taire jusqu'à ce que je comprenne parfaitement de quoi il est question. Non parce que je crains de me tromper : j'ai mon franc-parler et j'y tiens. Je constate simplement que les hommes perçoivent mes propos différemment de ceux de leurs semblables. Quand j'ouvre enfin la bouche, c'est donc pour aller au cœur du sujet et m'assurer que tous m'écoutent de leurs deux oreilles.

Je parlais récemment à une femme d'affaires expérimentée qui a eu cette observation très intéressante. « Les hommes, disait-elle, ont des attentes moins élevées à l'égard d'une femme de carrière, et c'est à nous de transformer cette perception en atout. Une représen tante très soignée, par exemple, obtiendra souvent auprès d'un chef d'entreprise un rendez-vous qu'il aurait refusé à un homme. Il ira même jusqu'à tirer sa chaise! » Autrement dit, nous tenons là un léger avantage qu'il n'est pas interdit d'exploiter intelligemment si nous préservons notre intégrité.

L'élégance et la féminité n'ont toutefois rien à voir avec la provocation et le sex-appeal. Une femme de carrière doit s'habiller pour inspirer le respect. Je m'oppose ainsi catégoriquement au port du pantalon en milieu de travail. Pour des raisons de sécurité, nous le permettons dans nos locaux de production et d'entreposage, mais autrement, tout le personnel féminin des Cosmétiques Mary Kay travaille en robe, en jupe ou en tailleur. Beauté et féminité sont nos raisons d'être, et nos Conseillères ne sauraient aider leurs clientes à se sentir belles sans projeter une image impeccable. Aussi leur suggérons-nous de porter robe ou tailleur en toutes occasions et de soigner leurs ongles et leur coiffure. Pourriez-vous imaginer une Conseillère en soins de beauté vêtue d'un jean et coiffée de bigoudis? Impensable! Nos Conseillères vendent des produits qui embellissent les femmes et doivent prendre conscience qu'elles sont pour leurs clientes des modèles de féminité.

Quel que soit leur secteur d'activités, toutes les femmes ont d'ailleurs intérêt à soigner leur apparence. J'en ai eu dernièrement une preuve supplémentaire. Une femme (appelons-la Madame Smith) m'avait contactée parce qu'elle préparait un livre sur les femmes de carrière américaines. Son parcours était fort impressionnant : elle possédait un doctorat et avait longtemps dirigé sa propre entreprise. Mon fils Richard jugeant le projet intéressant, j'ai accepté de consacrer un après-midi à cette Madame Smith, qui viendrait en avion pour nous rencontrer.

Souhaitant donner l'image d'une présidente de grande entreprise, j'ai opté ce jour-là pour un tailleur de soie noire orné d'un bijou en diamant. L'entretien était prévu pour 14 heures. Quelques minutes avant, je suis sortie de mon bureau pour remarquer une femme affreusement vêtue près du bureau de ma secrétaire. Elle portait un pantalon défraîchi, un chemisier à manches courtes et des chaussures de sport, sans parler d'une coiffure masculine et de l'absence de tout maquillage. Elle semblait rentrer de faire du jardinage. J'ai jeté un œil à ses ongles et me suis demandée si ce n'était pas vraiment le cas! Qui était-ce? Certainement pas l'une des nôtres, car ce genre de débraillé n'a pas cours chez Mary Kay!

De retour à mon bureau, j'ai appelé mon assistante Jennifer : « Pour l'amour du ciel, faites en sorte que cette femme ait quitté les lieux avant l'arrivée de Madame Smith! »

— « Euh, a murmuré Jennifer, c'est justement Madame Smith. »

J'étais abasourdie! Jennifer l'a fait entrer dans mon bureau, et la conversation s'est aussitôt mal engagée. La première question concernait l'image de la Compagnie. J'ai bien sûr mis l'accent sur la féminité et l'apparence soignée des membres de notre effectif de vente. Mon interlocutrice n'a pu s'empêcher de jeter un œil sur sa tenue et ses mains. C'était flagrant : nous étions d'avis opposés!

Puis Richard a fait son entrée comme prévu. Quel soulagement! ai-je pensé. Mais en apercevant Madame Smith, il a cru s'être trompé d'heure et s'est excusé : cette femme ne pouvait être la grande professionnelle avec qui il devait s'entretenir en ma compagnie!

Je l'ai interpellé juste avant qu'il referme la porte : « Oh, Richard! Reviens un peu, j'aimerais te présenter Madame Smith ». À son air consterné, j'ai vu qu'il n'en croyait pas ses yeux.

Richard s'est assis, puis s'est poliment excusé au bout de cinq minutes. Or, il aurait pu grandement contribuer au livre de cette chercheuse, mais il en avait perdu l'envie en voyant sa mise peu soignée. En somme, il avait perdu tout respect à son égard. J'estime donc que les femmes doivent toujours faire l'effort de se mettre en valeur, quel que soit le temps dont elles disposent. Après tout, on n'a qu'une chance de faire une bonne première impression!

Il me paraît sensé pour une femme de miser sur l'ensemble de ses atouts. D'ailleurs, toutes peuvent mettre leur beauté en valeur si elles le désirent vraiment!

J'adore m'adresser à des groupes de femmes sur le thème des défis et récompenses d'une carrière intéressante. Souvent, je leur transmets ma liste des quatre « choses à éviter » :

Évitez de gémir, de pleurer ou de bouder pour imposer votre avis.

Évitez d'être en retard.

Évitez d'avoir peur d'exprimer votre point de vue.
Évitez de perdre la maîtrise de vous-même, quelle que soit la situation.

J'en suis persuadée : absolument toutes les femmes peuvent réussir en affaires pourvu qu'elles possèdent ce qui suit :

de l'intuition
de la prévoyance
une bonne connaissance de ses produits
une bonne connaissance du marché
de l'audace
du rouge à lèvres
un excellent jugement
un brin d'entêtement
un ordinateur

Je crois que Dieu a gratifié les femmes de qualités exceptionnelles, mais qu'il est par conséquent plus exigeant envers nous. Aussi devons-nous ennoblir tout ce que nous touchons et enrichir le monde des affaires de ces qualités longtemps considérées comme féminines. Le sens de l'honneur, par exemple, l'intégrité, la chaleur humaine et l'honnêteté. Et je crois que nous commettons une erreur en imitant ou en copiant les hommes pour réussir.

Après avoir créé l'univers, Dieu a dit : « Voilà qui est bien. » Puis, Il a créé l'homme et a réfléchi un peu : « Ce n'est pas mal, mais je peux faire mieux. » Il a donc créé la femme.

Vous êtes le chef-d'œuvre de Dieu! Profitez-en pleinement!

13

Démarrez votre carrière en force!

UNE GRANDE DÉTERMINATION, voilà la seule chose qui *distingue* les gagnants des perdants. Pensez à une personne dont vous admirez le parcours professionnel et posez-vous cette question : « Laquelle de ses qualités pourrais-je cultiver? » Autrement dit : « Comment connaître la même réussite? » J'ai la conviction que toute femme peut développer une carrière exceptionnelle si elle est déterminée et désire vraiment s'améliorer. Vous êtes insatisfaite de votre situation? Dites-vous bien que Dieu vous a voulue heureuse et qu'Il vous réserve une vie meilleure.

N'oubliez pas que j'ai fondé Les Cosmétiques Mary Kay après avoir pris ma retraite d'une première carrière dans la vente directe! Il n'est donc jamais trop tard pour réorienter sa vie! J'y ai mis du temps, mais j'ai finalement emprunté la voie que Dieu m'avait tracée.

Une carrière, c'est bien autre chose qu'un simple emploi. Il ne s'agit plus d'exécuter des tâches préétablies en attendant son salaire, mais de s'engager et de se responsabiliser en vue d'atteindre des objectifs à long terme. Au fur et à mesure que vous délaisserez vos habitudes de salariée pour adopter une véritable démarche de carrière, vous devrez prendre une foule de décisions qui détermineront votre parcours, que vous visiez les échelons supérieurs de l'entreprise qui vous emploie ou que vous risquiez d'investir temps et argent dans le démarrage de votre propre entreprise. Dans l'un et l'autre cas, il vous sera indispensable de savoir vous présenter et de faire valoir vos compétences.

Qu'il s'agisse d'intéresser un éventuel employeur ou d'obtenir du financement pour lancer votre entreprise, vous aurez donc toujours besoin de *vous mettre en valeur*. Parmi les milliers de gens qui visent le même but, vous prendrez une bonne longueur d'avance en déterminant ce que vous pouvez offrir d'unique. Le premier réflexe consiste trop souvent à se demander quels avantages offrent tel emploi ou telle carrière. Mieux vaudrait pourtant se poser ces deux questions : « Comment faire en sorte que mon expérience et mes services soient vus comme inestimables? » et « Quels nouveaux besoins pourrais-je combler dans ce domaine? ». Il n'est pas rare que cette attitude fasse toute la différence entre échec et succès.

Votre première tâche consiste à évaluer honnêtement vos aptitudes actuelles en dressant une sorte de bilan *personnel*. Quels sont vos atouts? Dans quelles fonctions excellez-vous? Que désirez-vous accomplir dans un proche avenir, mais surtout à long terme? Quel genre de carrière susciterait en vous un enthousiasme durable? Mettez vos réponses par écrit pour en clarifier chaque élément et les ancrer dans votre esprit. N'oubliez pas vos qualités. Celles-ci, par exemple : « Je suis plutôt bien de ma personne, j'adore travailler en équipe, j'aime les gens, j'ai beaucoup d'énergie et de détermination. » Cet exercice terminé, je suis persuadée que vous découvrirez en vous une femme très intéressante.

Vos réponses pourront aussi révéler certains aspects à améliorer : parfaire votre formation, organiser vos responsabilités familiales, développer d'autres compétences, etc.

À l'origine des carrières les plus remarquables, il y a toujours trois conditions. Premièrement, le désir de réussite ou ce que j'appelle l'« esprit de volonté ». Deuxièmement, l'acquisition du savoir faire : savoir c'est pouvoir, et de ce pouvoir naît l'enthousiasme indispensable au succès, mais ce désir et ce savoir ne serviront à rien sans y mettre les efforts nécessaires. Le travail : telle est donc la troisième condition. Vous pouvez aspirer à réussir de tout votre coeur et apprendre tout ce qu'il y a à savoir sur votre carrière, mais à moins d'être prête à *appliquer* ces compétences (de travailler fort, autrement dit), tous vos efforts seront vains.

Supposons que vous choisissiez de mettre vos compétences au service de votre propre entreprise, il ne vous restera plus qu'à vous armer d'un optimisme à toute épreuve. Tous les bons entrepreneurs que j'ai connus étaient d'incurables optimistes. La plus belle illustration d'un optimiste, à mon avis, est cette personne à qui l'on a offert une grange remplie de fumier et qui s'écria : « Il doit bien y avoir un poney caché là dedans! ».

Tous les analystes financiers prédisent qu'au tournant de l'année 2000, le tout premier vecteur de croissance économique sera la création de petites entreprises indépendantes comme celles que développent les Conseillères en soins de beauté Mary Kay.

Ce phénomène s'explique principalement par une tendance mondiale à la rationalisation des systèmes de gestion. La majorité des entreprises multiplient en effet les restructurations axées sur la suppression de nombreux postes de cadres intermédiaires. C'est principalement à l'économie du savoir que l'on doit ces changements. L'Internet, par exemple, permet aujourd'hui aux dirigeants d'entreprises d'accéder instantanément à des données qu'une dizaine de commis ne pouvaient auparavant rassembler sans y passer plusieurs jours. Des milliers d'excellents cadres intermédiaires ont ainsi perdu leur emploi. Et nombreux sont ceux qui se sont lancés à leur compte après avoir cherché en vain un poste de même niveau.

Une petite entreprise peut aussi être la solution idéale pour les personnes qui travaillent dans un secteur en perte de vitesse, désirent changer de carrière ou aimeraient s'associer avec des parents ou des amis. Et ce ne sont pas les possibilités qui manquent : entreprise artisanale, services professionnels de toutes sortes, communications, etc. Tous les petits entrepreneurs ne visent cependant pas à conquérir la planète. La plupart sont de tempérament indépendant et souhaitent simplement subvenir aux besoins des leurs en mettant à profit leurs aptitudes dans un domaine particulier.

Aussi variées que soient ces possibilités, beaucoup de jeunes entreprises connaissent malheureusement un sort analogue : elles ferment leurs portes au bout de quelque temps, généralement pour des raisons de financement. S'il m'a suffi d'investir 5 000 dollars pour fonder Les Cosmétiques Mary Kay, il m'en coûterait aujourd'hui considérablement plus.

L'argent ne garantit pas pour autant le succès. Il est essentiel de connaître parfaitement ses produits et son marché de manière à cibler un créneau qui suscitera une forte demande. Cela pour combler des besoins auxquels personne ne répond adéquatement dans ce créneau cible. D'où l'importance de déterminer avec précision quels produits et services vous offrirez.

Il vous faut ainsi garder la tête froide. Trop de gens se lancent en affaires sur le coup de l'émotion. Ils souhaitent ardemment créer leur entreprise et foncent tête baissée sans étudier le marché. Supposons une femme qui adore décorer son intérieur : « Ça y est, se dit-elle, j'ouvre une boutique de décoration! » Sauf qu'il y a déjà une boutique du genre à deux pas de chez elle. Saura-t-elle offrir des produits et services qui s'en démarquent pour attirer sa propre clientèle?

Quel que soit votre projet d'entreprise, assurez-vous toujours d'analyser au préalable vos propres forces et faiblesses. Quelle est, par exemple, votre formation en gestion? Beaucoup de femmes visent des secteurs prestigieux, celui de la mode notamment, sans réelle expérience du domaine. Si c'est votre cas, songez d'abord à y décrocher un contrat ou un poste à temps partiel pour apprendre de l'intérieur les exigences relatives à votre éventuelle carrière.

Les femmes ont des talents insoupçonnés qu'elles n'osent pas exploiter. Si vous envisagez de créer votre entreprise, pensez à un domaine où vous excellez déjà. Vous a-t-on déjà dit quelque chose du genre : « C'est super, ce don que tu as! Tu devrais te lancer en affaires. » Certaines entreprises très prospères ont démarré au domicile d'une femme pleine de ressources. J'en connais une qui faisait les meilleurs gâteaux aux fruits du monde. Elle en tenait la recette de son arrière-grand-mère et a commencé à en vendre quelques dizaines à l'occasion des fêtes de Noël. Aujourd'hui, son entreprise compte des centaines d'employés qui préparent de façon artisanale des milliers de succulents gâteaux sous la bannière de *Mary of Puddin' Hill*. Comme bien des entreprises prospères ayant vu le jour sous le toit de leur fondateur, elle conserve les qualités (comme le brassage à la main) qui lui ont valu son succès au départ.

J'ai été témoin d'innombrables réussites du genre : une couturière experte qui a commencé à travailler de chez elle pour se retrouver à la tête d'une entreprise de rembourrage de meubles, une grand-maman aux doigts de fée qui créait d'adorables vêtements pour enfants, une autre qui a entrepris de dessiner des tenues de maternité après avoir cherché partout des ensembles à porter durant sa grossesse.

Si vous décidez de créer votre entreprise, préparez-vous à travailler beaucoup plus fort que si vous étiez salariée. Que vous vous lanciez en affaires ou deveniez représentante des ventes indépendante, vous serez votre propre patronne. Et vous devrez agir à votre égard comme la patronne la plus exigeante qui soit. Comme je le dis souvent à nos Conseillères : « Travaillez avec autant de discipline que si un patron vous observait en permanence. ». Donc, déterminez précisément le nombre d'heures que vous consacrerez chaque jour à votre entreprise. Demandez-vous : « Combien d'heures puis-je consacrer à mon travail? ». Et quoi qu'il advienne, n'en sacrifiez jamais une seule minute! À mes débuts dans la vente, j'ai décidé de me mettre au travail dès huit heures trente en me surveillant comme si j'étais ma propre employée. Par exemple, quand j'ai calculé ce que je gagnais de l'heure en travaillant à commission, j'ai compris que je ne pouvais me permettre une douzaine de pauses-café par jour. Vous devrez faire de même pour éviter l'échec : être votre propre patronne, d'accord, mais une patronne exigeante.

Voilà pour les risques d'échec. Parlons maintenant des chances de réussite! Le succès d'une jeune entreprise dépend généralement de sa capacité de répondre à de nouveaux besoins. À la création des Cosmétiques Mary Kay, aucune autre Compagnie n'enseignait aux femmes à prendre soin de leur peau. Elles se contentaient de vendre des produits cosmétiques. Notre arrivée sur le marché a donc répondu à un réel besoin. Nous savions pouvoir convaincre les femmes de l'importance des soins de la peau, et nous avions d'excellents produits pour simplifier la mise en valeur de leur beauté.

Une femme du nom de Betty Graham a su répondre ainsi à un besoin que personne n'avait songé à combler. Secrétaire de métier, elle se disait qu'il devait bien exister un moyen de corriger les erreurs de dactylographie. Dans sa cuisine, elle a multiplié les expériences jusqu'à ce qu'elle mette au point la formule qui a fait sa fortune. Son entreprise, *Liquid Paper,* a été vendue 40 millions de dollars peu avant son décès.

En matière de réussite, mon histoire préférée est sans doute celle de la regrettée Mary Crowley, amie de longue date et fondatrice de *Home Interiors & Gifts*. L'une et l'autre avons eu une grande influence sur nos carrières respectives. J'adore raconter comment elle a fondé l'une des plus grandes entreprises de vente directe au pays.

Nous nous sommes connues dans les années 1940, alors que j'étais chez *Stanley Home Products*. Il faisait ce soir-là un froid de canard. Les rues étaient glacées et la radio invitait les gens à rester au foyer, mais je devais donner une démonstration. Consciencieuse comme je l'étais, je ne l'aurais annulée pour rien au monde.

Tout aussi consciencieuse, Mary Crowley a été la seule de mes invitées à se déplacer! Enseignant l'école du dimanche aux enfants de mon hôtesse, elle s'était senti le devoir de respecter son engagement malgré l'avis des météorologues. Il était devenu inutile de tenir la démonstration comme prévu, si bien que j'ai passé la soirée autour d'un café et d'un gâteau en compagnie de deux femmes charmantes. La personnalité de Mary, surtout, dégageait un charisme incroyable.

Elle était adjointe du président d'une entreprise appelée *Purse Manufacturing Company,* m'a-t-elle appris ce soir-là. Aucune autoroute ne desservait alors le centre-ville de Dallas, et il lui fallait un temps fou pour se rendre au travail chaque matin. Ayant expliqué que je planifiais mon horaire de travail pour éviter les bouchons de circulation, Mary a semblé intriguée. Elle avait comme moi de jeunes enfants et m'enviait de pouvoir accueillir les miens à leur retour de l'école.

La conversation s'est détendue et au bout de quelque temps, j'ai osé lui demander combien gagne une adjointe de président. Elle a semblé interloquée par mon audace (avec raison d'ailleurs!), pour finalement laisser tomber : « Soixante-six dollars par semaine. » Ce qui était appréciable à l'époque.

« Ah bon, ai-je répliqué, c'est à peu près ce que me rapportent mes semaines les moins productives. » Elle paraissait si impressionnée que je lui ai proposé d'être représentante des ventes chez *Stanley Home Products*.

Elle a décliné ma proposition. « Dommage, vous seriez formidable. Je suis sûre que vous ne donnez pas votre pleine mesure derrière un bureau. Appelez-moi si vous changez d'idée. ».

Il s'est écoulé un mois avant que Mary Crowley m'appelle pour m'annoncer que son mari partait en mission avec la Garde nationale des États-Unis : « Je serai seule à la maison pendant trois mois, croyez-vous que je pourrais être représentante à temps partiel? »

J'ai accepté avec joie. Même si la perspective d'une associée à temps partiel ne me réjouissait guère, la personnalité de Mary en valait le coup. Elle m'a accompagnée à une première démonstration aux résultats désastreux : mes ventes avaient totalisé quatre dollars. Elle ne s'en est aucunement découragée et, peu de temps après, devenait représentante chez *Stanley*. Et elle était fantastique!

Quelques mois plus tard, elle m'a appelée pour m'apprendre qu'elle serait à la réunion de vente du lundi matin, car elle avait quitté son emploi pour s'adonner à temps plein à la vente. Ceci a marqué pour moi le début d'une forte croissance. Elle était en effet exceptionnellement douée et son appui a grandement stimulé la production de mon équipe.

À tel point que l'entreprise lui en a confié la direction lorsque j'ai par la suite déménagé à Saint-Louis. Elle a continué de gagner de formidables commissions jusqu'à ce qu'une jeune entreprise du nom de *World Gift* lui offre un poste de Directrice des ventes.

De retour à Dallas un an plus tard, j'ai repris contact avec Mary, qui m'a demandé de l'accompagner à une démonstration. C'était à son tour de me proposer de me joindre à elle. J'ai accepté et 12 mois plus tard, l'équipe que je dirigeais chez *World Gift* contribuait d'énorme façon au chiffre d'affaires de l'entreprise.

Entre-temps, mon amie avait gagné une telle assurance qu'elle décidait de quitter pour fonder *Home Interiors & Gifts*, l'entreprise qui allait faire sa fortune.

Mary Crowley jouerait encore longtemps un rôle clé dans ma vie. C'est d'ailleurs elle qui m'a présenté un certain Mel Ash. Mel travaillait dans l'industrie du cadeau de gros et connaissait bien Mary et son mari Dave. Un soir qu'il les avait invités au restaurant, Mel lui a demandé : « Mary, vous ne connaîtriez pas une femme aussi charmante que vous? »

— « Mais j'y pense, bien sûr! », a répondu Mary, pour m'appeler aussitôt et me proposer dès le lendemain une soirée à quatre au restaurant. Après mûre réflexion, j'ai accepté. C'est ainsi que je me suis retrouvée le lendemain… en tête-à-tête avec Mel! Car quelques minutes avant le rendez-vous, j'avais reçu un coup de fil de Mary m'annonçant que Dave et elle avaient un contretemps. Je l'ai toujours soupçonnée d'avoir joué les Cupidon ce soir-là, mais je n'ai jamais regretté de m'être tout de même rendue au restaurant.

Le hasard fait parfois bien les choses, n'est-ce pas? La vie est parsemée de rencontres dont certaines finissent par exercer une influence décisive sur le cours de notre existence. Si je n'avais pas fait la connaissance de Mary lors de cette soirée glaciale, Mel et moi ne nous serions sans doute jamais connus.

L'exemple de Mary Crowley incarne merveilleusement ma conviction que toute femme qui exploite ses talents peut réussir à la hauteur de ses ambitions. D'abord excellente adjointe de direction, puis représentante des ventes de premier ordre et enfin épatante Directrice des ventes, Mary a su repérer un créneau de marché inoccupé qui lui a inspiré la création d'une petite entreprise dont le succès a dépassé toutes ses espérances.

En entamant vous-même une nouvelle carrière, dites-vous bien que tout ce que vous imaginez vivement, désirez ardemment, croyez sincèrement et accomplissez avec enthousiasme se concrétisera inévitablement un jour ou l'autre.

14

Se sentir belle et bien dans sa peau

De temps à autre, une femme acceptera d'assister à l'un de nos cours de soins de la peau, mais refusera tout ce qu'on lui propose en disant d'un air renfrogné : « Je suis vieille et laide, vous ne pouvez rien y faire. Je suis un cas désespéré. » Nous tentons alors de la convaincre gentiment : « Vous verrez, votre peau sera plus douce, vous vous sentirez mieux. Faites un petit essai, c'est très agréable! ».

Une Conseillère habile réussira généralement à vaincre ses résistances. Après avoir constaté l'efficacité de nos produits, cette invitée pourra consentir à appliquer un peu de fond de teint, puis de jolies teintes de cosmétiques. Une heure plus tard, constatant le résultat dans le miroir, elle ne cessera de se regarder jusqu'à la fin du cours! Car soudain, elle se sent belle. Elle se sent mieux dans sa peau. Elle est métamorphosée. Son estime de soi a fait un bond incroyable et elle rentre à la maison la tête plus haute, comme si elle avait accompli un exploit exceptionnel.

Ce genre de transformation que nous observons régulièrement chez nos clientes agit souvent comme un petit miracle. Devant son miroir, une femme tient à la main l'un de nos boîtiers de maquillage et, à l'aide des techniques d'application que nous lui avons enseignées, se transforme de vilain petit canard en un magnifique cygne. Le fait d'assister à ces métamorphoses physiques et psychologiques constitue sans doute la plus émouvante récompense que nous puissions obtenir.

Pas étonnant que l'industrie cosmétique figure, avec celles du tabac et de la bière, parmi les moins touchées en période de ralentissement économique, disent les spécialistes. Pendant la Grande dépression, par exemple, la bière offrait un moyen peu coûteux de noyer quelque peu ses problèmes. Et avant qu'on découvre les dangers du tabagisme sur la santé, les gens fumaient pour apaiser leur stress. De même, quand tout va mal, les femmes qui ne peuvent s'offrir une jolie robe peuvent tout de même acheter un nouveau rouge à lèvres pour retrouver le moral. En fait, l'achat de produits cosmétiques procure souvent le même plaisir qu'un repas dans un grand restaurant.

Même dans les situations les plus extrêmes, le maquillage a un effet réconfortant. Prenons l'exemple d'une femme hospitalisée en raison d'une grave maladie. Le personnel infirmier comprendra qu'elle est en voie de se rétablir le jour où elle se coiffera et se remaquillera d'un peu de rouge et de fard à joues. J'ai moi-même observé ce phénomène quand ma mère vivait en maison de retraite, à Houston. « Oh, ma chérie! As-tu apporté ton coffret de beauté? Tu pourrais me faire un léger maquillage? » Bien sûr, je transportais partout mon coffret. Et cette question me rassurait car elle m'indiquait que ma mère se portait bien.

Les employés de la résidence le remarquaient d'ailleurs aussitôt et lui disaient qu'elle était ravissante. Même octagénaire, elle adorait cela! Je la maquillais et la coiffais, puis elle enfilait une jolie robe pour faire la tournée de ses amies. C'était tout simple, mais cette envie de prendre soin d'elle-même améliorait sa perception de la vie. C'est ainsi que, voyant l'effet que cela produisait sur ma mère, l'une de ses amies m'a demandé de la maquiller elle aussi. Après l'avoir maquillée, elle aussi s'est fait complimenter.

« Hum, ai-je pensé, ne serait-ce pas merveilleux qu'une de nos Conseillères de Houston vienne ici une fois par semaine, à titre bénévole, pour offrir aux amies de maman des séances de soins ou de maquillage? Quelle joie ce serait pour elles! »

J'ai donc proposé cette idée lors d'une rencontre réunissant une cinquantaine de Conseillères et de Directrices des ventes, qui pourraient donc se relayer de semaine en semaine pour offrir ce service durant une année. Toutes ont accepté d'apporter un peu de bonheur dans la vie de ces femmes âgées, sans attendre quoi que ce soit en retour. Et comme ma fille Marylyn était à l'époque Directrice des ventes à Houston, je lui ai demandé de planifier le premier rendez-vous de sa grand-mère. Quand j'ai parlé de notre projet à ma mère, elle en a été si enchantée qu'elle a invité six ou sept de ses meilleures amies pour le mardi suivant.

Marylyn est arrivée à l'heure prévue et a offert une séance personnalisée à sa grand-mère et à chacune de ses amies. Le bonheur absolu! Mais quelle ne fut pas la surprise de Marylyn lorsqu'elles lui ont commandé ensemble pour 156 dollars de produits! Nos autres Conseillères ont ensuite pris la relève, si bien qu'au bout de quelques semaines, la plupart des femmes de la résidence utilisaient les produits Mary Kay pour se sentir belles et mieux dans leur peau!

Quelques années plus tard, notre Compagnie a participé à une expérience scientifique menée dans une maison de retraite de Dallas, la *Golden Acres Nursing Home*, qui a confirmé les bienfaits du maquillage sur la santé des femmes. Mon médecin, Herman Kantor, m'avait ainsi téléphoné un jour pour me demander s'il pouvait passer à la maison avec sa femme. Il m'a expliqué qu'il siégait au conseil d'administration de cette résidence et qu'il désirait étudier l'effet d'une bonne image de soi sur l'attitude psychologique des femmes âgées. « Étant donné votre approche éducative, a-t-il ajouté, j'ai pensé que personne au monde n'était mieux qualifié que Les Cosmétiques Mary Kay pour participer à cette recherche. » Le programme, a-t-il précisé, serait entièrement conduit et analysé par une équipe de médecins, dont un psychiatre et un psychologue. ».

Pour des résultats scientifiquement incontestables, une soixantaine de femmes devaient collaborer à la recherche. La résidence abritait 350 personnes âgées, et il a été un peu difficile d'intéresser le nombre d'aînées requis. « Chérie, vous arrivez 20 ans trop tard! » Certaines avaient perdu tout appétit pour la vie, préférant dormir ou regarder la télévision toute la journée.

Nous avons fini par persuader les 60 femmes dont nous avions besoin, puis formé les bénévoles qui, dès sept heures du matin, les aideraient à appliquer leurs soins de la peau quotidiens et leur maquillage. Le programme était en branle.

Deux mois plus tard, je suis allée m'enquérir sur place des progrès en cours. Et j'en ai été stupéfaite! Il y avait partout de belles dames âgées bien maquillées, portant robes et bijoux comme si elles se rendaient à la messe du dimanche. Je n'en croyais pas mes yeux!

Nous n'avions pas envisagé d'inclure les messieurs dans notre recherche, convaincus qu'ils n'y prêteraient pas le moindre intérêt. Une bonne demi-douzaine de ceux à qui j'ai parlé ce jour-là ont cependant invoqué avec humour le principe d'« égalité des droits » pour collaborer au projet.

Ce programme s'est soldé au bout de six mois par un franc succès. D'énormes changements étaient intervenus. Levées tôt, les femmes attendaient impatiemment leur « bénévole en soins de la peau ». Un dîner a été organisé en mon honneur pour souligner la fin du programme. J'en ai été très émue, mais plus encore en observant cet auditoire de personnes âgées bien vêtues, l'œil pétillant, le geste alerte, et tout simplement métamorphosées. C'était là tous les remerciements dont j'avais besoin.

L'épouse du Dr Kantor ayant piloté le projet, elle m'a prise à part après le dîner : « Vous savez, il y a une femme qui n'a pu se joindre à nous aujourd'hui, mais je crois que vous aimeriez la revoir. ».

Je l'ai suivie jusqu'à une aile du bâtiment que j'avais effectivement visitée six mois plus tôt. On y regroupait les aînés souffrant de graves troubles mentaux. Je me rappelais notamment une femme qui avait perdu toute faculté de raisonnement, et qui était si menue qu'on l'asseyait dans une chaise haute sécurisée pour l'empêcher de chuter ou de se blesser. Il y avait trois ans qu'elle n'avait à peu près pas quitté cette chaise, sa tête posée en permanence sur le plateau. Réfugiée dans son mutisme, elle ne disait jamais un mot et ne reconnaissait personne. Je savais toutefois qu'on l'avait incluse dans l'étude. Madame Kantor m'a expliqué que chaque matin, une bénévole était donc venue faire à la dame un traitement facial avec maquillage en lui parlant doucement. Après quoi, la dame redéposait sa tête sur le plateau jusqu'à ce qu'une infirmière vienne la nourrir, faire sa toilette et la mettre au lit.

En nous approchant de la dame dans sa chaise haute, Madame Kantor lui a dit : « J'aimerais vous présenter Mary Kay, celle qui vous a fourni les produits cosmétiques dont vous avez bénéficié. » La vieille dame a lentement redressé la tête, puis elle a esquissé un sourire. C'était sa toute première réaction en trois ans. Ce pâle sourire justifiait à mes yeux tous les efforts que nous avions consacrés à ce programme.

Si les résultats obtenus dans cette maison de retraite ont été particulièrement spectaculaires, j'ai aussi observé au jour le jour l'incroyable effet du maquillage sur l'estime de soi des femmes. Je me souviendrai toujours d'un événement survenu aux premiers temps de notre Compagnie. Nous avions annoncé dans les journaux que nous cherchions des Conseillères dans la ville texanne de Sherman, en offrant aux candidates une séance de soins gratuite dans l'hôtel où nous logions. À 16 heures, nous avions reçu peu d'appels et la radio annonçait une vilaine tempête.

« Rentrons immédiatement, ai-je suggéré, avant d'être coincés dans la neige. ». C'est à ce moment-là que le téléphone a sonné. La dame au bout du fil semblait vraiment intéressante. Elle disait habiter à trois rues et pouvoir se rendre en quelques minutes. Je lui ai alors dit de s'en venir le plus vite possible.

J'étais en compagnie d'une Directrice des ventes qui voulait repartir pour Dallas avant que les routes soient impraticables. J'ai insisté : « Cette femme m'a fait vive impression. Je détesterais quitter cette ville sans avoir recruté qui que ce soit. ».

C'est alors qu'on a frappé à la porte. En ouvrant, je me suis retrouvée face à une sorte de géante. Cette femme à qui je venais de parler au téléphone mesurait presque deux mètres. Elle portait un pull à col roulé noir et un jean noir moulant qui ne l'avantageait pas du tout. Ses cheveux étaient retenus dans une sorte de résille à l'ancienne d'un effet désastreux, et son visage ne portait aucune trace de maquillage.

Ma Directrice des ventes avait l'air ahuri. « Hum, devait-elle penser, pour faire vive impression, on ne saurait en effet trouver mieux! » Et de fait, l'écart entre la voix de cette femme et son aspect physique était des plus impressionnants!

Nous lui avions cependant promis une séance gratuite. Chose promise, chose due : ma Directrice des ventes s'est mise au travail. J'en ai profité pour aller régler la note de l'hôtel et annoncer notre départ. À mon retour, tout était terminé, soins de la peau et maquillage compris. La séance la plus rapide de notre histoire! Nous vendions alors des perruques, et la femme portait même une ravissante perruque blonde trop grande pour nos autres clientes, mais qui lui allait à merveille.

Assise devant le miroir, elle avait les larmes aux yeux. Je dois dire que j'étais moi-même éblouie par sa métamorphose. « C'est la première fois de toute ma vie que j'ai le sentiment d'être jolie », a-t-elle finalement murmuré.

Je savais qu'elle était démunie, car elle m'avait dit au téléphone que son mari était au chômage depuis un certain temps. Elle m'avait aussi dit à quel point elle les aimait, lui et leurs deux enfants. Retirant son anneau de mariage, elle s'est tournée vers moi : « Mary Kay, je vous laisse mon anneau en gage si vous me permettez de retourner à la maison aussi joliment maquillée et coiffée. Je veux à tout prix que mon mari me voie. ». Bien entendu, je l'ai laissée emporter la perruque.

La tempête faisait rage sur le chemin du retour, mais le visage rayonnant de cette femme nous faisait oublier l'état des routes. À mon arrivée, Richard m'a clairement prévenue de ne plus jamais accepter de poules, de cochons ni de bagues en échange de marchandise. Il avait raison, mais j'en avais tiré une précieuse leçon : une femme ne peut s'épanouir intérieurement si elle ne se sent pas belle. Elle ne peut être bien dans sa peau sans mettre sa beauté en valeur.

Supposons ainsi qu'une femme prépare un gâteau aux épices et découvre qu'elle n'a plus de cannelle. Sans maquillage, portant jean et bigoudis, elle sait qu'elle est affreuse, mais décide tout de même

Mary Kay en compagnie d'un groupe de Directrices nationales des ventes, Bermudes, été 1993.

Au Séminaire 1992, Mary Kay remet une plaque commémorative à la Conseillère ayant acheté le millionnième exemplaire de son autobiographie.

Mary Kay recevant du Dr Norman Vincent Peale le Horatio Alger Award, en 1978.

Quelques gagnantes croquées sur le vif, lors de cet événement extraordinaire qu'est le Séminaire. Une occasion remarquable pour des milliers de femmes d'être applaudies et traitées comme des stars de cinéma. Elles traversent la scène et reçoivent prix et distinctions, fruits d'un travail consciencieux.

Mary Kay devant une Cadillac rose.

Mary Kay et son fils Richard Rogers lors d'une Soirée de gala.

de courir à l'épicerie du coin. C'est inévitable, elle y croisera une connaissance qu'elle aurait préféré ne pas voir, mais c'est drôlement difficile de se cacher derrière des boîtes de tomates! Supposons maintenant que cette même femme rentre d'un mariage. Très élégante, elle croise quelqu'un dans la rue. Elle affichera au contraire une attitude pleine d'assurance. Indéniablement, une femme qui se sent jolie rayonne d'une confiance beaucoup plus grande.

Il y a quelques années, je donnais à Houston un atelier de formation. L'une des participantes, qui avait débuté comme Conseillère trois mois plus tôt, travaillait avec acharnement sans réussir à franchir la barre des 100 dollars de ventes par cours. Elle assistait à toutes les formations possibles et imaginables, mais tardait à en récolter les fruits.

« La confiance est la clé de tout, faisais-je valoir dans le cadre de cet atelier. Présentez-vous à chacun de vos cours soigneusement coiffée et manucurée. Si vous n'avez aucune robe dans laquelle vous vous sentez comme une reine, courez en acheter une. (Je n'imaginais pas l'effet que cette phrase aurait sur elle!) : Et si vous n'en avez qu'une, portez-la à chaque cours jusqu'à ce que vous puissiez vous en offrir une autre. ».

Cette femme et son mari avaient de sérieux ennuis financiers, elle-même ne s'étant pas acheté le moindre vêtement depuis trois ans. En sortant de l'atelier, elle a couru s'acheter une robe en prévision de son cours de la soirée… qui lui a finalement rapporté des ventes de 100 dollars!

Elle exultait! Tant et si bien qu'elle s'est offert une autre robe pour son cours suivant, qui a aussi produit des ventes de 100 dollars. Jamais deux sans trois : elle s'est présentée à son troisième cours de la semaine portant une troisième robe neuve, et répété son exploit des cours précédents. Débordante de fierté à sa réunion de groupe du lundi suivant : « J'ai découvert le secret de la réussite, a-t-elle annoncé à la ronde. Il suffit de s'acheter une robe neuve! ».

Ce qui est faux, bien entendu. Le secret réside dans la confiance que cette Conseillère a finalement acquise en se sentant plus belle, ce qui fait naître l'enthousiasme et la force de conviction indispensables à toute réussite. Bon nombre de Conseillères ont d'ailleurs une « tenue porte-bonheur », c'est-à-dire une robe ou un tailleur qui semble leur assurer des cours productifs. L'état d'esprit, voilà la clé. On entend d'ailleurs souvent : « Chaque fois que je porte mon tailleur rouge, je fais des ventes de 200 dollars! ».

Il n'est pas rare que les femmes se joignant à nous ne sachent pas encore s'habiller et se présenter avec professionnalisme, mais invariablement, elles s'inspirent de leurs nouvelles collègues et amies. Avant longtemps, elles se métamorphosent en belles et confiantes professionnelles de la vente. Nous aimons tous nous identifier à nos pairs. Rien de plus normal donc qu'une femme peu encline à la coquetterie apprenne à se soigner ou décide qu'elle n'est pas à sa place. Ça me rappelle les enfants d'école. Si tout le monde porte des jeans, la petite fille forcée de porter une robe se sentira mal à l'aise et à part des autres.

Je parle des femmes, mais je pourrais tout aussi bien parler des hommes. Malgré ce qu'ils peuvent en dire, eux aussi soignent de plus en plus leur apparence. Et je ne serais pas surprise qu'ils en viennent à utiliser des produits cosmétiques et à se maquiller, comme ils le faisaient à une certaine époque. Il suffit de jeter un œil dans la vitrine d'un salon de coiffure pour les observer sous le séchoir. Hélas, on repère souvent des hommes élégamment vêtus, cheveux bien coiffés et ongles manucurés, mais dont la peau réclame des soins urgents! Les femmes savent l'importance d'avoir une peau éclatante de santé avant d'appliquer leur maquillage pour embellir leurs traits. Pourquoi les hommes ne feraient-ils pas de même?

Peut-être est-ce encore la crainte de susciter des doutes sur leur virilité qui empêche les hommes de se maquiller. Il n'y pas si longtemps, un homme plutôt viril n'aurait jamais avoué utiliser un désodorisant. C'est dire comme les modes et les usages évoluent!

Pourtant, on s'étonne souvent que nous ayons une populaire gamme de produits pour hommes. Peu après les débuts de notre Compagnie, nous avons remarqué que beaucoup de femmes renouvelaient leur ensemble de soins de base pour la peau plus souvent que nécessaire. Craignant qu'elles en fassent un usage excessif, nous les appelions pour vérifier si elles n'en faisaient pas trop. « Revoyons ensemble à quelle fréquence vous utilisez le masque ou la quantité de crème de nuit que vous utilisez. Il devrait vous rester une bonne quantité de vos produits de l'Ensemble de base, peut-être mettez-vous un peu trop? »

Au bout de quelques minutes, il leur arrivait d'avouer que leur copain ou leur mari avait lui aussi adopté nos produits après en avoir observé l'efficacité sur elles! À force d'entendre répéter cette histoire, nous avons décidé de lancer notre gamme Mr. K pour éviter à ces messieurs le ridicule d'utiliser des petits pots roses de marque Mary Kay. Nous avons conçu une trousse de voyage dans les tons masculins de marron et argent, et modifié les noms de nos produits en conséquence : baume hydratant plutôt que crème de nuit, nettoyant plutôt que crème nettoyante, etc. Par la suite, nous avons conçu des produits spécialement formulés pour les peaux masculines et les avons réunis sous le nom de Skin Management. La gamme Skin Management de Mary Kay représente aujourd'hui environ 20 pour cent du marché des soins de la peau pour hommes. Ce sont en général les femmes qui les achètent pour leurs maris, fils et amis, mais nous sommes prêts à étendre notre offre dès que les hommes se convaincront eux-mêmes de la nécessité de mieux prendre soin de leur apparence!

Bref, on se sent mieux dans sa peau quand on se sent plus belle ou plus beau. La raison d'être des Cosmétiques Mary Kay consiste à aider les femmes (et les hommes, donc!) à transformer ce mieux-être en images plus positives d'elles-mêmes. Nous croyons qu'elles seront ainsi mieux armées pour relever avec confiance et détermination les défis que la vie leur réserve. Comme je le dis souvent : « Les cosmétiques ne sont pas notre seul secteur d'activités, nous œuvrons aussi dans le domaine des relations humaines. ».

15

Qu'est-ce que le bonheur?

JE SUIS DEVENUE MILLIONNAIRE le jour où Les Cosmétiques Mary Kay a acquis le statut de société faisant publiquement appel à l'épargne publique. Qui aurait prédit ce destin à une gamine d'un quartier pauvre de Houston? Mais je n'ai pas pensé : « Me voici enfin heureuse car je suis millionnaire! ».

L'idée du bonheur varie selon chacun, dit à peu près la chanson, mais j'aimerais vous en confier ma propre définition. Le bonheur, c'est d'abord faire un travail qui nous passionne à tel point qu'on le ferait sans être payé. C'est ensuite avoir dans sa vie une personne à aimer. C'est enfin poursuivre un rêve qui nous projette dans l'avenir.

Contrairement à ce qu'on imagine trop souvent, l'argent ne garantit aucunement le bonheur. On croit à tort qu'il peut régler tous nos problèmes, surtout si on a des ennuis financiers. Il est bien sûr difficile d'être heureux quand on gagne trop peu pour assurer le bien-être de sa famille. L'argent revêt alors une grande importance, qui diminuera toutefois au fur et à mesure qu'on en gagnera davantage. Autrement dit, on s'en préoccupe beaucoup moins lorsqu'on peut s'offrir de bons repas, de bons vêtements, une vraie maison et ce minimum de luxe (comme une télé et une voiture) qui nous semble aujourd'hui indispensable.

« Évidemment, vous dites-vous peut-être, c'est facile pour Mary Kay de parler ainsi. Elle n'a pas à se soucier d'argent, elle est présidente émérite d'une grande entreprise! ». Ce qui est parfaitement vrai… aujourd'hui, mais j'ai connu ma part d'inquiétudes financières à l'époque où j'attendais l'arrivée du moindre chèque de commissions pour nourrir mes enfants. C'est une lourde responsabilité d'élever seule trois enfants, comme je l'ai fait pendant de longues années. Je n'oublierai jamais cette période de ma vie. Si vous avez des problèmes à joindre les deux bouts, je n'ai donc aucun mal à comprendre votre situation.

L'argent a été ma grande priorité pendant la seule période où j'ai économisé pour acheter ma première maison. Au rythme de quelques dollars par semaine, j'ai d'abord franchi avec fierté le cap des 100 dollars. Puis un jour, mon compte d'épargne a affiché la prodigieuse somme de 1 000 dollars. J'étais au septième ciel! Je faisais tout pour éviter de dépenser afin de voir mon solde grossir. J'y ai mis de longues années, mais j'ai finalement atteint mon but.

L'argent pour l'argent, comme on dit, ne m'a jamais vraiment intéressée. Pour certains, c'est un instrument de mesure. Tel niveau de revenus témoignera pour eux d'une réussite de telle ampleur, puis ils viseront une réussite encore plus grande dont témoigneront naturellement des revenus supérieurs. L'argent, disent-ils, leur permet simplement de mesurer la progression de leurs succès.

À chacun ses sources de motivation, bien entendu. Pour ma part, j'ai la ferme conviction que les gens les plus heureux ne sont pas les plus riches, mais les plus passionnés par leur travail, comme je l'ai toujours été par le mien. Encore aujourd'hui, je me lève tous les matins à cinq heures pour attaquer ma « liste des six priorités ». Je vibre toujours du même bonheur une fois que j'aiaccompli toutes les tâches de cette liste. Oui, comme je l'ai souvent dit, mon travail me passionne à tel point que j'accepterais de le faire gratuitement!

En tête des ingrédients de ma recette du bonheur figure donc cette passion pour un travail qu'on aime. C'est pourquoi j'ai une véritable compassion pour tous les gens qui sont forcés d'occuper un emploi qu'ils détestent. Arrêtez-vous un moment pour y penser : sur les 24 heures que compte chaque journée, nous en travaillons huit et en dormons huit autres. Il n'en reste donc qu'un tiers pour se détendre et s'amuser! Or, comment profiter vraiment des deux tiers qui restent de la journée après s'être morfondu au travail pendant huit heures?

Selon un intéressant article que j'ai lu un jour, les hôpitaux psychiatriques débordent de gens qui détestaient leur métier, et qui ont subitement perdu la raison après de longues années d'insatisfaction profonde au travail. C'est là une triste réalité dont nous pouvons toutes tirer les leçons. Si on déteste les huit heures quotidiennes que l'on passe au travail, l'état émotionnel qui s'ensuit aura tôt ou tard des répercussions négatives sur notre santé mentale.

J'ai reçu de nombreuses lettres de Conseillères m'expliquant que leur réussite chez Mary Kay avait permis à leur propre mari de laisser un emploi médiocre pour entreprendre une carrière répondant mieux à ses aspirations. Certains maris m'ont eux-mêmes écrit pour me témoigner leur reconnaissance, affirmant que l'épanouissement professionnel de leur épouse les avait incités à réorienter leur existence jusque-là morose et sans projet. Quand une Conseillère m'avoue que les revenus de son entreprise Mary Kay ont ainsi permis à son conjoint de faire la transition vers une carrière plus intéressante, son visage rayonne d'une joie et d'une satisfaction extraordinaires.

L'entraide, la générosité, le partage, tels sont en effet les principes qui sous-tendent la philosophie des Cosmétiques Mary Kay. Toute nouvelle Conseillère se voit transmettre notre credo : « Votre rôle n'est pas de vendre des cosmétiques, mais de répondre à cette question dans tous vos cours de soins de la peau : Comment aider ces femmes à mettre en valeur leur beauté extérieure pour qu'elles se sentent tout aussi belles intérieurement? ».

Entre donner et recevoir, nous mettons l'accent sur l'importance de donner, à tous les échelons de la Compagnie. Nos Directrices sont invitées à aider leurs Conseillères à exploiter des talents qu'elles ne se soupçonnaient pas, et non à les considérer comme une source de commissions. Chez Mary Kay, donner est source de bonheur. « Les fleurs imprègnent de leur arôme chaque main qui les cueille », a dit un sage.

L'un de mes plus grands bonheurs est de voir avec quel plaisir d'innombrables Conseillères développent leur entreprise Mary Kay. « J'adore être Conseillère, à tel point en fait que je travaillerais sans être payée! », m'écrit-on souvent dans de magnifiques lettres qui me sont envoyées. Savoir le nombre de femmes qui partagent ces sentiments me remplit d'aise.

Quand on adore ainsi son travail, il est important d'avoir auprès de soi quelqu'un avec qui partager son bonheur. Même les plus riches, les plus célèbres et les plus puissants n'ont pas toujours cette chance et se désoleront alors d'une existence incomplète. L'exemple de Marilyn Monroe est à cet égard particulièrement éloquent. En surface, sa vie était idyllique. Beauté, gloire et fortune : elle avait tout pour être heureuse. Ce n'est qu'à sa mort que ses admirateurs ont appris, stupéfaits, qu'elle souffrait en vérité d'une solitude et d'une anxiété si profondes qu'elle en avait perdu le goût de vivre. Comment une personne vivant sous les feux de la rampe, entourée et adulée, pouvait-elle se sentir si seule? « N'était-elle pas entourée d'innombrables amis? Ne l'invitait-on pas dans toutes les réceptions? ». En réalité, les gens craignaient de s'approcher d'elle car ils la supposaient inabordable. Autour d'elle, il n'y avait qu'un immense vide affectif.

C'est pourquoi ma définition du bonheur prévoit aussi de partager sa vie avec une personne aimée. Marilyn Monroe n'ayant pas eu cette chance, elle a fini par sombrer dans des pensées destructrices. Beaucoup de femmes, notamment celles qui ont perdu comme moi l'être cher, peuvent comprendre ce sentiment d'angoisse. Quatorze années durant, j'ai partagé avec mon mari Mel tout ce que j'avais d'amour et de bonheurs quotidiens. Sa mort m'a plongée dans un immense chagrin. J'étais au bord du désarroi, mais ne pouvais me permettre de m'apitoyer sur moi-même. Je me suis efforcée de sourire dans la douleur et, reprenant mes activités professionnelles quatre jours après son décès, je me suis tenue le plus occupée possible. Lorsqu'on perd ainsi un être aimé, je crois nécessaire d'accepter qu'il ou elle a trouvé la paix dans un monde meilleur, de façon à garder pour nous-même le chagrin ressenti. Toute vie vaut d'être vécue jusqu'au bout, et nous devons ensuite continuer la nôtre selon nos buts et objectifs quotidiens.

Nous devons aussi comprendre que les autres ne vivent pas la même tristesse que nous. À l'approche de mon premier Noël sans Mel, je ne me sentais aucun courage pour décorer la maison, mais je me suis rappelée que j'attendais la visite d'environ 400 Directrices des ventes dans la semaine précédant Noël. Or, toutes anticipaient que cette belle rencontre se déroule dans une ambiance de fête. Pour éviter d'assombrir l'atmosphère en cette période de réjouissances, je me suis donc obligée à poser mes décorations. Comme par magie, j'ai retrouvé mon sourire.

Au prix d'un immense effort de volonté, je m'étais aussi refusée de m'apitoyer sur mon sort quelques mois auparavant. Mel était décédé un sept juillet et il était prévu deux semaines plus tard que je participe à Dallas à un congrès annuel de Directrices des ventes. Mel n'avait manqué aucun des 14 congrès précédents, se tenant à mes côtés pour accueillir les participantes, aidant les organisatrices à diverses tâches et prononçant une brève allocution pour détendre l'atmosphère. Sans lui, je me sentais complètement désorientée, mais personne n'a rien remarqué, car je me suis efforcée d'offrir à toutes mon plus beau sourire.

La disparition de Mel a créé en moi un vide que rien ne comblera jamais. J'ai toutefois la chance d'être entourée de gens merveilleux à qui donner toute mon affection. J'ai aussi le privilège de recevoir d'affectueux témoignages de femmes de notre effectif de vente. Comme celui d'une Conseillère d'Atlanta, qui m'a récemment adressé une émouvante lettre débutant comme suit: « Très chère Mary Kay, je suis assise à la fenêtre de ma cuisine et regarde ma fillette s'amuser. Elle court sur la pelouse de ses deux bonnes jambes, et j'ai soudain pensé que vous êtes responsable de ce petit miracle. » Elle m'apprenait ensuite que sa fille souffrait à la naissance d'une malformation à la jambe, mais que ses revenus étaient alors insuffisants pour payer les opérations qui auraient corrigé le problème. Connaissant la cruauté dont les enfants sont capables, elle redoutait le jour où son enfant entrerait à la maternelle.

Celle-ci avait trois ans lorsque sa maman a un jour assisté à l'un de nos cours de soins de la peau. Ça a été le déclic. Cette femme qui m'écrivait avait compris aussitôt qu'en devenant Conseillère, elle pourrait économiser l'argent nécessaire pour offrir à sa fille l'usage de ses deux jambes et elle m'annonçait justement que les opérations venaient d'être pratiquées avec grand succès. Cette femme savait comment aimer et partager avec sa famille. Je suis si reconnaissante qu'elle ait aussi voulu partager son bonheur avec moi. Qu'une seule fillette puisse ainsi connaître une existence normale me remplit d'un bonheur qui justifie tous les efforts consacrés au développement de cette Compagnie!

Passons au troisième ingrédient de ma recette du bonheur : poursuivre un rêve qui nous projette dans l'avenir. Ce qui, dans mon cas, découle des deux premiers. J'anticipe chaque jour de faire un travail qui me passionne et de me trouver en compagnie des gens que j'aime. Il doit y avoir quelque chose au bout de l'arc-en-ciel. Dès que je réalise un rêve, je m'empresse d'en caresser un autre qui me mènera plus loin. Avez-vous remarqué qu'il est plus agréable d'anticiper la joie qu'on éprouvera en atteignant un objectif que de l'atteindre vraiment? Un peu comme les enfants, qui sont plus excités à l'approche de leur anniversaire qu'au jour lui-même. Ou les élèves, qui attendent fiévreusement les vacances estivales ou leur bal de finissants. Il en va de même dans notre Compagnie, par exemple lorsqu'une Directrice mobilise tout son groupe en vue de gagner l'usage de sa première Cadillac rose. L'excitation et l'enthousiasme sont à leur comble aussi longtemps qu'on progresse vers cet objectif, mais une fois le rêve réalisé, l'émotion se dissipe et la vie reprend son cours normal. Le phénomène se répète pour chaque première fois : première maison, premier manteau de fourrure, première bague à diamants, etc. Dès qu'il est en notre possession, l'objet de nos rêves perd de son importance.

D'où ce besoin d'en changer régulièrement. En renouvelant ses rêves, on nourrit son désir de vivre et d'aller de l'avant. On se projette dans l'avenir, ce qui explique l'énergie qui anime les gens passionnés. Chose certaine, c'est ce qui entretient ma propre passion pour la vie.

Dans un livre magnifique intitulé *The Magic of Believing*, le journaliste Claude Bristol raconte qu'il a vu des gens succomber à des maladies auxquelles d'autres ont survécu, ou des équipes sportives gagner des matchs que d'autres ont perdus malgré un talent équivalent. Ayant étudié ce phénomène dans le monde entier, il en offre cette explication: « J'ai progressivement découvert que toute réussite est cousue d'un fil d'or que j'appellerais la foi. ». L'auteur a observé en action le pouvoir d'une foi inébranlable. La foi en soi, la foi en l'avenir. Car les gens imprégnés de cette foi accomplissent des choses exceptionnelles.

Nous avons tous besoin d'une raison de nous lever chaque matin, de concevoir des projets qui nous animent et nous stimulent. Pour ma part, je rêve que Les Cosmétiques Mary Kay soit un jour la première entreprise mondiale de produits cosmétiques de qualité supérieure. Ce qui n'a d'ailleurs rien d'irréaliste étant donné notre rythme actuel de croissance.

Les gens heureux poursuivent sans cesse de nouveaux rêves. J'ai connu dans ma vie plus de joies et de succès que je l'aurais espéré dans mes rêves les plus ambitieux. Tous les matins, je suis impatiente de revoir le soleil pour découvrir ce que la journée me réserve de nouveau et de passionnant. Je remercie Dieu chaque jour de m'accorder ce bonheur de vivre.

16

Exploitez les talents que Dieu vous a donnés

J'AI REÇU DERNIÈREMENT une enveloppe contenant 20 billets de un dollar, accompagnés d'un mot d'une Directrice des ventes me demandant d'y apposer ma signature. Elle remettra ces billets, précise-t-elle, à ses Conseillères. De telles demandes sont fréquentes et j'accepte volontiers, ajoutant à côté de mon nom « Mathieu 25: 14-30 » en référence au passage de la Bible sur la parabole des talents. Car je crois que notre mission sur Terre est d'exploiter pleinement les talents que Dieu nous a donnés. En échange, dit ce passage, nous serons récompensés au centuple. Ma propre vie illustre on ne peut mieux cette sage parabole. Permettez-moi de vous en offrir un exemple particulièrement éloquent.

Il y a de cela fort longtemps, le pasteur de mon église m'avait demandé de dire quelques mots pour sensibiliser les gens à une campagne de financement visant la construction d'un centre d'éducation religieuse pour enfants. J'ai d'abord soupiré (sans qu'il n'en paraisse rien, j'espère), car ce projet avait jusque-là produit de très maigres résultats. Quel que soit l'orateur qui s'adressait d'un dimanche à l'autre à notre assemblée, nous réunissions de peine et de misère 600 à 1 000 dollars par semaine. À ce rythme nous n'aurions pas notre centre avant de longues années.

J'ai d'autant plus hésité que je ne m'occupais aucunement de l'école du dimanche : « Mais je ne travaille pas auprès des enfants dans l'église, ai-je observé. Pourquoi ne pas choisir quelqu'un qui le fait?

— « Vous croyez à l'importance de l'éducation religieuse des enfants, n'est-ce pas?| »

— « Euh, bien évidemment...»

— « Hé bien voilà! C'est l'unique condition à remplir! Que diriez-vous de prendre la parole dans six semaines? »

Je ne pouvais pas refuser. Très habile, le pasteur m'avait offert une échéance lointaine qui me laissait tout le temps de me préparer. Bon, me suis-je dit, je ne pourrai certainement faire pire que celles et ceux qui m'auront précédée!

« Je le ferai », lui ai-je répondu.

Le temps a filé à la vitesse de l'éclair. C'était pour moi une période surchargée en travail et en déplacements. Mon cerveau n'en travaillait pas moins sans arrêt, cherchant les mots et expressions qui dynamiseraient mon allocution. Pour autant, je tardais à les noter sur le papier, contrairement à mon habitude de planifier longtemps à l'avance ce genre d'activités.

Mel et moi nous trouvions à Chicago la semaine précédant le dimanche où je devais prononcer mon discours, et je n'avais toujours pas rédigé la moindre ligne. La veille, nous sommes rentrés bien après à minuit. Inquiète de mon manque de préparation, je me suis endormie en me disant que la nuit porte conseil et que j'écrirais mon discours au matin.

Or, Mel et moi étions si fatigués que nous nous sommes réveillés en retard. Dix heures! Il fallait être à l'église dans une heure! Il me faut plus de temps que ça pour m'habiller chaque matin! Quand pourrais-je bien écrire mon discours? J'avais cru pouvoir avoir le temps nécessaire le matin pour préparer la meilleure présentation possible; peine perdue. Voyez ce qui m'arrivait! Pendant cinq secondes, j'ai même pensé rester simplement à la maison, mais il était bien sûr hors de question de manquer à ma promesse.

Mel s'affairait déjà aux préparatifs de départ. Je l'ai imité en enfilant la première robe de ma garde-robe, tout en ressassant cette prière : « Seigneur, soufflez-moi les mots, jusqu'à ce que j'aie assez parlé. Je n'avais pas le choix : c'est Dieu qui me dicterait mon discours puisque je n'avais même pas eu le temps de penser!

Tandis que je me maquillais en vitesse, j'ai soudain été frappée d'une illumination. « Mary Kay, tu n'as qu'à annoncer que tu doubleras la somme totale que les gens verseront aujourd'hui! »

Cette pensée m'est apparue si clairement que, totalement éberluée, j'en ai déposé mon pinceau à maquillage pour clamer à voix haute : « Un petit moment, Seigneur! Laissez-moi y réfléchir un peu! » Heureusement, Mel se trouvait trop loin pour m'entendre. Il aurait pensé que j'avais perdu la raison, comme le croirait toute personne sensée à qui j'affirmerais entendre des voix célestes! C'est une chose de parler à Dieu, comme le font beaucoup de gens. C'en est une autre de l'« entendre » nous parler!

En route vers l'église, j'ai pensé tout raconter à Mel. « Ne fais surtout pas cela », me répétais-je tandis qu'il conduisait en silence. Je m'efforçais donc de rassembler mes pensées, mais cette phrase me revenait sans cesse, avec la même force et la même clarté que lorsqu'elle avait surgi dans ma tête quelques minutes plus tôt : « Annonce que tu doubleras la somme que les gens verseront. ».

À notre arrivée, la chorale avait déjà pris place et l'office allait commencer. Nous avons rejoint nos places sur le bout des pieds. Quelques secondes plus tard, le pasteur m'invitait à monter en chaire.

En me dirigeant vers l'avant de l'église, je n'avais toujours aucune idée de ce que j'allais dire. « Mon sort est entre Vos mains », me suis-je dit en invoquant le Seigneur. J'ai commencé à parler des années lointaines où j'enseignais à l'école du dimanche à Houston. Travaillant auprès d'enfants de quatre et cinq ans, j'avais compris toute l'importance de transmettre le plus tôt possible les valeurs de la Bible aux générations futures et de les leur enseigner, de même que la différence entre le bien et le mal. Je me rappelle avoir cité le livre des Proverbes : « Formez un enfant à suivre la bonne voie, et il ne s'en éloignera jamais une fois adulte. ».

Enfin, je me suis entendue dire : « Vous savez, nous parlons de construire ce centre depuis une éternité. Chaque dimanche, nous recevons 600 dollars, parfois 1 000 dollars, mais au rythme où nous amassons des fonds, ce sont plutôt les petits-enfants des enfants que nous voulons aider qui en profiteront. Il nous faut absolument réagir. Sans doute savez-vous que la Compagnie que je dirige fonctionne uniquement sur une base d'argent liquide. C'est pourquoi je doublerai moi-même la somme en liquide que vous verserez aujourd'hui pour ce centre. ».

Ma proposition a été accueillie par un silence de mort. J'ai repris mon souffle et continué en ces termes :

« C'est donc dire que nous ne faisons pas crédit. Si bien que je n'accepterai aujourd'hui que des dons en chèques ou en liquide pas des promesses. Et je le répète : je donne un dollar pour chaque dollar que vous verserez afin de doubler le montant total. ».

Le sort en était jeté. J'ai lancé un coup d'œil à Mel, qui semblait sous le choc. Comme je ne lui avais rien dit de mon « illumination », je savais qu'il comprendrait que je parlais en mon nom propre et que je ne lui demanderais pas de débourser un sou de sa poche. Quelle que soit la somme réunie, je doublerais donc la mise en puisant dans mes revenus personnels.

Dans l'assemblée, on semblait tout aussi médusé. En fait, je n'arrivais pas à déchiffrer la réaction des gens. En regagnant ma place, j'étais certaine d'avoir échoué : « Tu n'es bonne qu'à vendre des cosmétiques, me disais-je. C'est beaucoup plus difficile de promouvoir l'œuvre de Dieu. ».

En terminant son sermon, le pasteur a fait une courte pause avant de conclure à l'intention de l'assemblée : « Je ne vous ai pas senti très attentifs à mes propos ce matin. J'espère que c'est parce que vous réfléchissiez à la proposition de Mary Kay. » Puis se tournant vers moi : « Mary Kay, je sais que la plupart des gens préparent leur chèque avant de se présenter à l'église, de sorte qu'ils ont sans doute laissé leur carnet à la maison. Accepteriez-vous de leur accorder un délai? Jusqu'à 17 heures, par exemple? ».

J'ai bien sûr accepté, tout de même surprise de la confiance du pasteur, qui ne semblait pas douter de la générosité des gens. Tout l'après-midi, je m'étais demandée combien les gens donneraient. À

17 heures, j'attendais impatiemment qu'on m'appelle, mais l'heure est passée sans que le téléphone sonne. Et l'heure suivante, et l'autre encore. En début de soirée, j'étais complètement désespérée. À l'évidence, les dons étaient si infimes qu'on n'osait pas m'en informer. J'en étais si angoissée que j'évitais de parler à Mel, quelque peu honteuse de cet échec. À l'heure d'aller au lit, toujours pas la moindre nouvelle.

Ce n'est qu'à dix heures le lendemain matin que j'ai finalement reçu l'appel du président du comité.

« J'ai attendu votre appel toute la soirée, m'inquiétai-je. Que s'est-il passé? »

— « Eh bien, dit le président de la campagne, nous étions en réunion et les discussions ont pris fin trop tard. »

— « C'était donc si terrible? »

— « Oh non! Bien au contraire! C'est carrément phénoménal! »

Hum, phénoménal... Sans doute avions-nous franchi la barre des 1 000 dollars, ai-je pensé. Peut-être 2 000? Pourquoi pas 5 000, tiens! Ce qui serait effectivement exceptionnel.

« Qu'entendez-vous au juste par phénoménal?

— « Justement, poursuivit mon interlocuteur, très hésitant, j'aimerais vous faire part de ce nous avons discuté en réunion avant de parler chiffres. »

— « Je vous écoute...»

— « Voyez-vous, étant donné les résultats totalement inattendus, on m'a chargé de vous dire qu'il n'est pas question pour nous de vous obliger à respecter votre engagement. Vous devez vous sentir parfaitement libre de retirer votre proposition. Nous savons que vous ne pouviez vous attendre à de tels résultats; pas plus que nous d'ailleurs! »

— « J'ai fait cette proposition en toute connaissance de cause, l'interrompis-je, et je la maintiens entièrement! »

— « Mais, hésita-t-il, nous comprendrions tout à fait que vous changiez d'idée. »

« Combien? Avions-nous atteint 5 000 dollars? 10 000? Pourquoi pas 20 000, pensai-je, tant il était réticent à m'annoncer la fameuse somme. ».

« Le total s'élève à 107 748 dollars », a finalement laissé tomber le président du comité.

Et dire que je m'étais endormie la veille en priant de toutes mes forces qu'on puisse réunir 1 000 dollars! J'étais bouche bée, incapable de prononcer le moindre mot. En doublant les 107 748 dollars, ajoutés aux fonds déjà amassés, on pourrait entamer sans délai les travaux! J'avais supplié Dieu de manifester sa volonté en me dictant mes propos, il ne me restait plus qu'à m'y soumettre de bon gré.

J'en étais à la fois ravie et perplexe, car j'avais clairement parlé de dons en liquide. Il me fallait donc verser moi-même la même somme en espèces, aujourd'hui même!

Comme mon silence se prolongeait, mon interlocuteur a deviné ma stupéfaction : « Vous êtes toujours là? Je le répète, ne vous sentez surtout pas obligée...».

— « Oui, oui! dis-je enfin. C'est très gentil de votre part, mais sachez que je tiendrai parole avec le plus grand plaisir. Transmettez au comité toute ma joie de contribuer ainsi à la construction du centre. »

Entre-temps, 1 000 idées se bousculaient dans ma tête. Je ne disposais évidemment pas d'une telle somme en liquide, puisque j'investissais au fur et à mesure l'essentiel de mes revenus. La seule solution consistait à déplacer mes rendez-vous de la journée pour solliciter en vitesse un prêt bancaire. J'ai raccroché en invoquant le ciel : « Eh bien, Seigneur, j'ai respecté votre volonté, à vous maintenant de m'aider à trouver cet argent! »

C'est à ce moment-là que le téléphone a sonné. C'était Richard.

(Je dois ici faire un petit retour en arrière. Quelques mois auparavant, Richard m'avait proposé d'investir dans un projet de technologie sismique qu'un géologue de sa connaissance avait mis au point pour trouver du pétrole. Il en avait examiné en détail toutes les possibilités pour conclure au sérieux de l'affaire. Sur ses conseils, j'ai donc accepté d'investir dans deux puits de pétrole. J'avais confiance en lui et je n'y avais plus jamais repensé.)

Au bout du fil, Richard semblait fou de joie : « Décidément, maman, tout ce que tu touches se transforme en or! »

— « Que veux-tu dire au juste? »

— « Tu te rappelles ces deux puits? Eh bien, il en jaillit des tonnes de pétrole par jour! Et sais-tu combien tu toucheras en redevances? (Je crois m'être arrêtée de respirer, car j'ai soudain eu un pressentiment.) Pas moins de 100 000 dollars pour ce mois-ci! ».

Ce midi-là, c'est remplie d'humilité et de reconnaissance que je me suis rendue à l'église verser la contribution promise. J'avais obtenu en quelques heures un prêt bancaire que j'allais pouvoir rembourser dès la fin du mois grâce aux revenus de ces deux puits de pétrole.

Cet épisode m'a rappelé une leçon que j'ai apprise enfant, lorsque je fréquentais moi-même l'école du dimanche (soit dit en passant, dans des locaux qui n'avaient rien de comparable à l'immeuble tout neuf que nous allions construire). Tout ce qu'on donne généreusement au nom de Dieu nous est rendu au centuple, nous avait-on enseigné. C'est aussi le message de la parabole des talents. Plus on utilise les talents que Dieu nous a donnés, plus Il nous récompense d'avoir obéi à Sa volonté.

Cette histoire a même connu une suite. Après un tel succès, l'église m'a demandé quelques années plus tard de présider une autre campagne de financement. Cette fois, j'ai décidé de mobiliser plusieurs membres de la congrégation afin d'élaborer en collaboration la meilleure stratégie possible. Nous y avons consacré six semaines. Par un dimanche matin ensoleillé, nous avons pu annoncer des résultats exceptionnels : 10 millions de dollars pour la construction d'un centre d'éducation chrétienne. Somme à laquelle s'ajouteraient un peu plus tard 7 millions pour le sanctuaire de l'église! Je l'ai dit et le répète : ce que nous faisons au nom de Dieu nous est rendu au centuple!

17

Voir la vie en rose

Il y a quelques années, l'un de nos cadres dirigeants, Dick Bartlett, prenait la parole devant les étudiants de la *Harvard Business School.* Toujours vêtu avec l'élégance convenant à ses fonctions, Dick a fait son entrée dans l'auditorium pour constater avec amusement que la plupart des étudiants portaient du rose. Dès 1963, la couleur rose est en effet devenue la marque distinctive des Cosmétiques Mary Kay. À nos yeux, les gens qui voient la « vie en rose » en prenant les choses du bon côté vivent en quelque sorte selon la « philosophie Mary Kay ». Et nous adorons cette association d'idées!

On s'étonne donc toujours d'apprendre qu'au moment de fonder notre Compagnie, le rose n'était pas ma couleur préférée! Ce choix de couleur pour nos emballages et notre matériel publicitaire tenait de la simple logiquc. En 1963, la majorité des salles de bains américaines étaient blanches. Comme aujourd'hui, elles étaient aussi encombrées d'une foule de produits de toilette aux couleurs voyantes et souvent fort laides. Or, je désirais que nos petits pots et flacons soient si agréables à l'œil que nos clientes leur réservent une place de choix. Quelle couleur adopter? Le rose s'est finalement imposé, un rose doux et discret, qui serait du plus bel effet contre le carrelage blanc des salles de bains.

Notre Compagnie devenant avantageusement connue, tout le monde a cru que j'adorais le rose au point d'avoir un bureau tout rose, une maison toute rose et une garde-robe de vêtements uniformément roses. Je peux vous l'avouer aujourd'hui : j'ai quelque peu résisté à cette « pression rose ». J'avoue aussi être un peu têtue quand on veut me dire quoi faire. Mais très franchement, je me suis toujours sentie plus à l'aise entourée de nuances de jaune et de bleu. J'adore aussi le noir d'un beau tailleur classique, et l'on m'a souvent dit que les tons francs de rouge et de bleu mettaient mes yeux et mon teint en valeur. Quelle femme n'aime pas porter les couleurs qui lui attirent des compliments?

Le rose a néanmoins coloré très agréablement ma vie en s'imposant comme le symbole de notre philosophie et de notre réussite. Si bien que j'ai un jour eu l'idée de récompenser nos meilleures Directrices des ventes en leur offrant de mériter l'usage d'une Cadillac rose. Une Cadillac pour son prestige. Le rose pour symboliser notre Compagnie et attirer sur nos championnes toute l'attention qu'elles méritaient. Une Cadillac rose arrêtée à un feu rouge fait tourner toutes les têtes et la personne qui la conduit est souvent l'objet de marques de courtoisie, comme j'en ai moi-même bénéficié au volant de la mienne (nos Directrices ont d'ailleurs observé le même phénomène). Il n'est pas rare, en effet, qu'on m'offre d'un signe de la main la priorité de passage quand j'attends mon tour à une intersection.

Nos voitures de carrière ont vite remporté un tel succès que nous en avons fait le principal élément de notre programme de reconnaissance. Nous avons établi trois niveaux de voitures-récompenses dont les membres de notre effectif de vente pouvait en mériter l'usage en remplissant certaines conditions : Grand Am rouge, Pontiac Grand Prix rose et Cadillac rose, la première pouvant être offerte aux Conseillères les plus performantes.

En fait, nous commandons annuellement à *General Motors* un si grand nombre de voitures que ce géant automobile a officiellement créé la couleur « rose Mary Kay »! Comment résister devant un tel hommage?

Des gens très attentionnés continuent par ailleurs de m'offrir une quantité incroyable de cadeaux roses. J'ai l'impression que nos Conseillères et Directrices pensent à moi dès qu'elles repèrent un bibelot rose en magasin. Si bien qu'on peut admirer des douzaines d'objets adorablement roses dans de grandes armoires vitrées qui ornent aussi bien mon bureau et le hall d'entrée de notre siège social que ma propre résidence. J'affectionne chacun d'entre eux, car ils symbolisent à mes yeux une réussite fondée sur l'entraide et le partage.

Les fournisseurs auxquels nous achetons des centaines de milliers de prix et d'articles promotionnels semblent aussi souvent penser à moi. Presque chaque jour, je reçois en guise d'échantillons des objets roses de toutes sortes : stylos, enveloppes, trombonnes, etc. C'est étonnant tout ce qu'on peut produire en rose de nos jours! Ainsi, avons-nous déjà offert une calculatrice rose dans le cadre d'un programme de prix. Plus surprenant : un fabricant m'a un jour livré au bureau un petit trampoline rose destiné à l'exercice maison! Sans parler de cet audacieux fourreur qui m'a offert un manteau de vison rose!

Le rose aurait même des vertus calmantes, selon une équipe de psychologues californiens qui en a étudié l'effet sur les tempéraments agités et violents. On a ainsi observé un apaisement notable presque immédiat chez des prisonniers turbulents que l'on avait enfermés dans une cellule rose.

Est-ce l'effet de ses vertus calmantes ou parce que le rose est devenu pour moi un vibrant symbole d'amour, toujours est-il que j'ai appris à aimer cette couleur bien au-delà de ce que je l'aurais imaginé.

Cette anecdote à propos d'une maison que j'avais fait construire illuste parfaitement mon nouveau penchant pour le rose. On en était encore au stade de l'élaboration des plans lorsque mes proches conseillers m'ont fait cette suggestion, non sans un brin d'hésitation : « Puisque votre maison sera vue par de nombreuses Conseillères et Directrices, nous y voyons une excellente occasion de la peindre en rose pour évoquer l'image de l'entreprise. ».

Je les ai stupéfiés en répliquant aussitôt : « Brillante idée! Allons-y! ».

Au point où nous en étions, pourquoi pas? Le résultat, je le confesse, était plutôt grandiose : plafonds hauts de neuf mètres, piscine de style grec, lustres en cristal importés de Venise, immense salle de réception garnie de boiseries et d'une cheminée en marbre, une réplique exacte de la salle de bains de mon défunt ami Liberace, salle à manger dans les tons de jaune et or, hall d'entrée orné d'un grand escalier tournant et, enfin, amplement de place pour les invités.

J'ai vécu six ans dans cette maison rose, mais j'y ai passé l'essentiel de mon temps dans une aile relativement modeste regroupant ma chambre à coucher, mon cabinet de toilette et mon bureau-bibliothèque.

18

Sous les applaudissements...

QUAND FUT LA DERNIÈRE FOIS OÙ L'ON VOUS A APPLAUDIE? À votre cérémonie de remise des diplômes? Après une intervention pertinente dans une réunion du comité de l'église? Vous rappelez-vous le vif sentiment de plaisir? Multipliez cette émotion par 1 000 et imaginez-vous sur la scène du Centre des congrès de Dallas. Derrière vous, de gigantesques écrans vidéos affichent votre photo et votre nom. Le décor qui vous entoure est d'une hauteur vertigineuse et s'illumine d'ornements dignes d'une comédie musicale de Broadway. Plusieurs caméras sont braquées sur vous tandis que crépitent dans la salle les flashs d'innombrables appareils-photo. Soudain, les milliers de personnes de l'assistance se lèvent d'un bond pour vous ovationner à tout rompre. Eh bien, voilà le genre de reconnaissance que nous apportons aux championnes de nos Séminaires. Chaque année, de grandes professionnelles de la vente en traversent la scène pour regagner les coulisses, tremblantes d'enthousiasme. Et elles mettront tout en œuvre pour être de nouveau ovationnées au Séminaire de l'année suivante. Pourquoi? Parce que le besoin de reconnaissance est ancré au plus profond de chaque être humain.

Chez Mary Kay, le Séminaire est l'événement à ne manquer sous aucun prétexte, l'occasion pour nos Directrices et Conseillères de célébrer ensemble leurs exploits, et bien autrement que dans un simple « congrès d'entreprise ». Notre Séminaire est en effet si spectaculaire qu'on le compare aux *Academy Awards*, au concours *Miss America* et aux premières de Broadway tout à la fois. Prix éblouissants, émotion, suspense et divertissement se succèdent à un rythme d'enfer pendant trois journées absolument électrisantes.

Si nous investissons dans cet événement autant d'efforts et d'argent, c'est parce nous savons que le désir de reconnaissance est une formidable source de motivation. Si vous offrez par exemple à une femme un cadeau de 40 cents emballé dans une boîte de un dollar, mais que vous accompagnez le tout d'éloges qui valent 100 dollars de reconnaissance, vous la motiverez bien plus qu'en lui offrant un cadeau 100 dollars, mais sans aucune marque de reconnaissance.

Pendant chaque Séminaire, nos meilleures leaders et Directrices nationales des ventes animent des ateliers de formation sur toutes les questions pouvant aider nos Conseillères à faire prospérer leur entreprise indépendante, mais le clou de l'événement est sans conteste la Soirée de Gala. Tout y est mis en œuvre pour en faire un spectacle digne des superproductions hollywoodiennes, qui culmine avec la remise de prix somptueux qui ont fait des Cosmétiques Mary Kay un symbole de luxe et de glamour : bagues à diamants, Cadillac roses et voyages aux quatre coins du monde.

Chaque Soirée de Gala se déroule sous un thème inspiré de notre philosophie. Pour illustrer l'un d'eux, « Une réussite de rêve », des scénographes professionnels avaient conçu un décor féérique composé d'un château de quatre étages, dans lequel évoluaient des chevaliers et leurs dames sous un éclairage de milliers de lumières scintillantes. Le tout au son d'adaptations musicales de la partition de Camelot. Il était absolument impossible de ne pas communier à l'enthousiasme qui a régné tout au long de cette soirée mémorable. Un enthousiasme que nous souhaitons justement porteur d'une réussite exceptionnelle et de rêves à réaliser.

Le Séminaire est en somme l'expression suprême d'un concept très simple : toute réussite mérite reconnaissance. Si vous faites savoir aux autres à quel point vous appréciez ce qu'ils font, ils vous répondront en faisant encore mieux. Éloges et félicitations ont un immense pouvoir sur celles et ceux qui les reçoivent.

Tout le monde aime être félicité. J'ai franchi dans ma carrière un cap décisif lorsque j'ai commencé à imaginer que chaque personne à qui je m'adressais portait autour du cou une petite enseigne disant « Faites que je me sente important ». Tout le monde a besoin d'être applaudi, au sens propre comme au figuré. Et si vous aviez le choix de deux cadeaux à offrir à vos enfants, soit un million de dollars ou la faculté de penser positivement, le cadeau de la confiance en soi serait infiniment plus précieux et vient avec les éloges, la reconnaissance et les félicitations.

Je croise à l'occasion des gens qui n'hésitent pas à se moquer devant moi des prix et symboles que nous remettons aux membres de notre effectif de vente. « Qui a besoin de ces trucs et machins pour faire du bon travail? », déclarent-ils en se croyant très drôles, ou encore : « N'est-ce pas un peu idiot pour ces femmes de travailler si fort pour une broche ou un petit ruban? ». Visiblement, ces personnes n'ont rien compris au monde qui les entoure.

On m'a raconté une plaisanterie qui illustre bien l'importance des éloges pour le commun des mortels. Il s'agit d'une mère qui discute avec sa fille adolescente de son nouveau petit ami. La maman demande : « Qu'est-ce qui lui plaît en toi?

— « Il me trouve jolie et me dit que j'ai une personnalité extraordinaire. »

— « Très bien. Et qu'est-ce qui te plaît chez lui? »

— « Le fait qu'il me trouve jolie et qu'il me dise que j'ai une personnalité extraordinaire! »

Je crois vraiment que ce besoin de reconnaissance est tout aussi fort chez les adultes. Avez-vous remarqué que les joueurs de football obtiennent une étoile qu'ils apposent sur leur casque chaque fois qu'ils réussissent un jeu exceptionnel? Y voyez-vous une grande différence avec les étoiles dont nos professeurs ornaient nos cahiers? Tout comme les gamines studieuses, ces joueurs de 120 kilos ont besoin d'être félicités! Et que dire des médailles et rubans qu'arborent les soldats sur leur uniforme? De tout temps, des jeunes gens courageux ont bravé la mort dans l'espoir de porter ces symboles de reconnaissance.

Chose certaine, la reconnaissance a joué un grand rôle dans ma propre éducation. Ma mère me félicitait pour chaque chose que j'accomplissais, et j'en suis arrivée à rechercher toutes les marques de reconnaissance possibles, pour avoir vendu le plus de billets ou gagné un prix pour être meilleure de la classe en dactylographie. J'aimais aussi être le centre des débats de mon école, et j'adorais être applaudie lors des concours d'art oratoire.

Le Séminaire est donc chez Mary Kay l'événement de reconnaissance suprême, mais nous mettons aussi cette philosophie en pratique des milliers de fois par jour. Et cela dès l'instant où nous faisons la connaissance d'une future Conseillère. Il est fréquent qu'une femme qui envisage une carrière chez Mary Kay nous oppose cet argument : « En fait, je ne suis pas certaine de pouvoir vendre quoi que ce soit. » Généralement, cela cache la crainte suivante : « En vérité, je manque de confiance en moi. » J'en ai connu qui, avant de se joindre à nous, étaient trop timides pour commander une pizza au téléphone. Certaines auraient même été incapables de diriger une prière silencieuse! Nous les avons encouragées sans relâche et souligné leurs plus petits succès. C'est ainsi que, peu à peu, nos éloges et notre appui favorisent leur ascension. *Nous les poussons au succès à force d'éloges.*

Participant à une semaine de formation des nouvelles Directrices, l'une de nos Conseillères était si timide à son arrivée qu'elle n'osait saluer personne. Elle s'était contentée d'incliner la tête lorsque j'ai fait mon entrée dans la salle de cours en adressant à la ronde un « Bonjour » souriant. Un peu plus tard, j'ai appris qu'elle s'était jointe à notre Compagnie pour un jour avoir le courage de se présenter par son nom devant un groupe de six personnes. Bref, elle était d'une timidité maladive à tel point que j'ai répondu à l'une des organisatrices, qui m'interrogeait sur son potentiel : « Très franchement, je crois qu'elle est trop timide pour réussir. ».

Je m'étais lourdement trompée. Un an plus tard, cette même Conseillère prononçait sur la scène du Séminaire un discours si électrisant que l'auditoire s'est spontanément levé pour l'ovationner. Aujourd'hui, Rubye Lee figure parmi nos Directrices nationales des ventes, ce qui prouve qu'il suffit le plus souvent de stimuler la confiance des gens pour leur donner des ailes.

Voici un autre exemple du pouvoir de la reconnaissance. Nous occupions à l'époque nos locaux du 1220 Majesty Drive. J'étais dans mon bureau un de ces matins, et vu les petites dimensions des lieux, je n'ai pu faire autrement que d'entendre notre Directrice nationale émérite Helen McVoy parler à une Conseillère derrière ma porte.

« Votre cours vous a rapporté 35 dollars? Formidable! », s'exclamait-elle.

Or, même à l'époque, des ventes de 35 dollars n'avaient rien de formidable. Ma curiosité l'a emporté, et je n'ai pu m'empêcher d'entrouvrir ma porte pour voir à qui Helen s'adressait.

« Oh! Mary Kay, puis-je vous présenter ma toute nouvelle Conseillère? Son cours d'hier soir lui a rapporté 35 dollars, me dit-elle avec enthousiasme, alors qu'elle n'avait rien vendu lors de ses deux premiers cours. ».

Si elle n'avait pas félicité ainsi sa Conseillère, celle-ci aurait sans doute renoncé à donner un quatrième cours. Souligner même les plus petits succès des gens regonfle à ce point leur confiance qu'ils se sentent dès lors la capacité de se surpasser. Comme le disait John D. Rockefeller : « Je paierais plus cher quelqu'un qui sait tisser des liens de confiance avec les gens que pour acquérir tous les biens de ce monde. » Et je suis sûre que cette qualité d'Helen McVoy explique qu'elle a été pendant 17 ans notre Directrice nationale des ventes numéro un.

J'ai déjà décrit à quel point j'avais voulu gagner le concours de vente chez *Stanley Home Products*. Je n'avais pas travaillé si fort pour me pavaner avec mon ruban « Miss Dallas », mais bien pour obtenir la reconnaissance que je méritais. Depuis, j'ai vu d'innombrables femmes travailler aussi fort pour gagner un simple ruban qu'elles l'auraient fait pour toucher un cadeau luxueux ou un prix en espèces. Supposons que nous offrons en prix un splendide robot culinaire. Même si leur cuisine en est déjà équipé, bien des femmes redoubleront d'ardeur pour l'obtenir si elles ont besoin de la reconnaissance qu'il symbolise.

Nous le constatons chaque jour : les femmes qui se joignent à nous s'épanouissent sous l'effet des encouragements que nous leur prodiguons. Aucune femme au foyer n'entend jamais « Ce plancher est incroyablement propre! » ou « Ces couches sont vraiment immaculées! ». Et rares sont les employées de bureau qui se font complimenter de la sorte : « Bravo, vos rapports sont bien rédigés, et sans la moindre faute d'orthographe! ». Même celles qui font du bénévolat sont parfois insuffisamment reconnues. Mais toute femme qui entreprend une carrière chez nous découvre cet immense plaisir d'être à la fois reconnue et rétribuée à la hauteur de ses efforts.

D'après mon expérience, la plupart des femmes sont prêtes à travailler fort pour un tout petit peu de reconnaissance.
Ainsi ,remettons-nous un ruban aux Conseillères lorsqu'elles donnent un premier cours rapportant 150 dollars, puis 200 dollars, et ainsi de suite. Une Directrice m'écrivait que certaines personnes dans son groupe avaient reçu tous les rubans possibles et imaginables. « Que faire maintenant? », me demandait-elle. Je lui ai suggéré de stimuler les efforts de recrutement de ses membres et de les aider à emprunter la voie qui leur permettrait de devenir elles-mêmes Directrices. Nos Directrices comprennent l'importance des distinctions. Beaucoup d'entre elles, par exemple, remettent une petite étoile aux Conseillères chaque fois qu'elles recrutent une personne. Il n'est pas rare, par le temps qu'elles arrivent à Dallas pour suivre notre programme des nouvelles Directrices, de les voir arborer 15 sinon 20 petites étoiles dorées sur leur veston. En leur remettant ces étoiles, les Directrices leur offrent un signe visible de leur réalisation. Ces étoiles proclament : « Voyez comme je suis performante! » .

Au-delà des éloges et des félicitations, nos prix sont aussi de formidables symboles de reconnaissance. Je n'oublierai jamais le premier concours de vente que j'ai gagné. J'étais folle de joie, mais incapable d'imaginer quel usage je ferais de mon prix, une sorte de lampe de poche d'un modèle bizarre que les pêcheurs à la ligne utilisent d'après ce que j'ai pu comprendre. Peu m'importait car j'étais au comble du bonheur!

J'ai conservé mon étrange cadeau pour me rappeler que s'il m'arrivait un jour de décerner des prix, je ferais en sorte que leurs récipiendaires en soient vraiment heureuses. Les plus convoités, m'a-t-il semblé, consisteraient en plaisirs qu'une femme n'ose pas s'offrir elle-même. J'ai donc éliminé d'emblée la plupart des cadeaux « utiles ». Entre une machine à laver et une bague à diamants, la plupart des femmes opteront en effet pour le côté « pratique » de la machine à laver. C'est pourquoi nous privilégions en matière de prix des bijoux et des Cadillac roses.

Nous remettons ainsi un grand nombre de bagues à diamants. Sauf pour leur mariage, les femmes se voient rarement offrir des diamants. Chez Mary Kay, par contre, une entrepreneure performante peut en quelques années récolter suffisamment de diamants pour orner chacun de ses dix doigts.

Au sein de notre Compagnie, la tenue vestimentaire dénote aussi différents niveaux de reconnaissance. Une Conseillère ayant recruté trois autres Conseillères pourra par exemple porter notre veston rouge. Nos Directrices et Directrices nationales des ventes ont quant à elles le privilège de porter un tailleur donné (dont le modèle change tous les ans) suivant leur niveau de réussite. Dans une assistance de 10 000 Conseillères et Directrices, on peut ainsi repérer d'un coup d'œil nos championnes. Une tradition évidemment empruntée aux uniformes militaires (après tout, chaque rang comporte ses privilèges!)

Au-delà des prix, nous reconnaissons aussi nos championnes dans les pages de notre magazine mensuel, *Applause*. Les gens adorent voir leur nom imprimé en toutes lettres; nous y dressons donc la liste de nos meilleures vendeuses et recruteuses ainsi que de nos nouvelles Directrices, sans oublier la photo de celles qui ont réalisé un exploit particulièrement marquant.

À l'heure actuelle, environ 7 000 Directrices américaines publient en outre un bulletin mensuel de motivation et de reconnaissance à l'intention de leur groupe. Quant à notre siège social, il produit notamment un hebdomadaire intitulé *Directors Memo* qui reprend parfois certains articles ou reportages de ces bulletins. Toutes aspirent à être citées dans cet imprimé qui se veut une autre forme de distinction.

Rien ne vaut à mes yeux la reconnaissance publique pour transmettre des félicitations. Nos publications sont d'excellents outils de motivation, mais nos réunions de groupe hebdomadaires permettent à nos Directrices de faire publiquement l'éloge de leurs Conseillères, ce qui est encore plus gratifiant pour elles que d'être félicitées en privé. Celles-ci y reçoivent les applaudissements de leurs collègues, de même que les rubans, étoiles ou autres symboles témoignant de leurs efforts. Rien de mieux pour l'estime de soi, n'est-ce pas?

Cette philosophie s'étend à tous les aspects de notre travail, et même à nos clientes. Dès le premier cours de soins de la peau auquel elle assiste, nous complimentons la cliente sur le résultat des produits qu'elle a appliqués, sur la fraîcheur retrouvée de son teint, etc. Et lorsqu'elle se montre intéressée à devenir Conseillère, nous l'encourageons en la rassurant sur ses capacités, surtout au moment de son premier cours. Même si elle a commis des erreurs, nous évitons toute critique négative. En ces débuts de carrière, la Conseillère a absolument besoin d'être félicitée pour ce qu'elle a bien fait!

Pour ma part, j'estime que personne ne réagit favorablement à la critique. Supposons qu'une femme étrenne une robe de 100 dollars et qu'on vienne lui dire : « Mais où as-tu trouvé cette horreur? ». Elle risque de ne plus jamais la porter! S'il faut vraiment émettre une critique, je crois plus judicieux de l'enrober soigneusement de quelques compliments. En assistant à titre d'observatrice au cours d'une nouvelle Conseillère, une Directrice pourra par exemple noter sur une page tout ce qu'elle fait correctement et sur une autre tout ce qu'il lui faut améliorer. « Et alors, quelles erreurs ai-je faites? », demandera la Conseillère après le cours (c'est généralement leur première inquiétude!). « Voyons d'abord où vous avez excellé », devrait répondre la Directrice en soulignant ses points forts. Après quoi seulement elle pourra signaler les progrès à accomplir afin de gagner la confiance de sa Conseillère et renforcer son estime de soi.

Il ne s'agit en aucun cas de faire des compliments à tort et à travers. Le manque de sincérité finit toujours par nous jouer des tours. Efforcez-vous par conséquent de féliciter les gens pour ce qui vous semble vraiment méritoire. Cette leçon, je l'ai apprise à la dure lorsque j'étais moi-même jeune représentante des ventes.

J'avais pris l'habitude de féliciter mes hôtesses sur un aspect de leur décoration que j'aimais sincèrement. Lors d'une démonstration à laquelle j'étais arrivée à la dernière minute, sans avoir eu le temps d'observer les lieux, j'ai remarqué du coin de l'œil un petit tableau représentant un oiseau-mouche butinant une orchidée. « Quel joli tableau! », me suis exclamée.

« C'est gentil, a répondu mon hôtesse. C'est moi qui l'ai peint!».

Rien d'autre ne me venant à l'esprit, je lui ai répété combien je le trouvais beau, ce qui lui a évidemment laissé l'impression que j'adorais cette peinture.

Deux semaines plus tard, je suis retournée chez elle lui porter sa commande de produits. Noël approchait et j'avais désespérément besoin d'argent pour les cadeaux des enfants. Ma cliente m'a accueillie très chaleureusement, puis elle m'a dit : « Vous savez, je pensais justement au compliment que vous m'avez fait à propos de ce tableau. Puisque vous l'aimez tant, je vais vous l'offrir en échange de mes produits. ».

Je n'ai pas pu refuser, et le Noël de mes enfants en a été quelque peu gâché. J'en ai cependant tiré cette précieuse leçon : ne jamais faire un compliment ou des félicitations sans y croire sincèrement. (J'ai aussi appris à dire « non merci » lorsqu'on me propose d'échanger des produits contre quoi que ce soit, plutôt que de les payer.).

La reconnaissance est donc partie intégrante de la philosophie Mary Kay. Toutes nos Conseillères apprennent ainsi très tôt à encourager et à féliciter les femmes avec qui elles travaillent, jusqu'à ce que cela devienne une seconde nature. Cette habitude agit comme une onde de choc et contribue progressivement à enrichir la vie de tous ceux et celles qui les entourent.

« Le seul véritable cadeau consiste à donner une part de soi-même », a dit Emerson. Et c'est ce que nous offrons en reconnaissant sincèrement la valeur des autres. Nous y gagnons toujours à long terme puisque tout ce que nous faisons pour enrichir la vie des autres nous revient dans la nôtre.

19

Une touche personnelle

IL Y A DE CELA FORT LONGTEMPS, j'avais attendu trois heures en file pour serrer la main du vice-président des ventes de l'entreprise où je travaillais. Nous ne nous étions jamais rencontrés et j'étais impatiente de faire sa connaissance. Quand je me suis finalement retrouvée devant lui, il m'a distraitement serré la main sans me regarder dans les yeux, jetant plutôt un œil au-dessus de mon épaule pour évaluer le nombre de représentants qui attendaient derrière moi. J'en ai été profondément blessée. « Si jamais on attend ainsi de me serrer la main, me suis-je alors promis, j'accorderai toute mon attention à chaque personne qui se trouvera devant moi, même si je dois y passer la nuit. ».

Et de fait, j'ai par la suite serré d'innombrables mains tendues en m'efforçant d'accorder le maximum d'attention à chacune des personnes qui avaient patienté pour me dire un mot. « Comment faites-vous? N'est-ce pas épuisant? », me demande-t-on parfois. Oui, il m'arrive d'en éprouver un peu de fatigue, mais je me ressaisis aussitôt car je sais ce que l'indifférence peut avoir de blessant en pareil cas. Il est indispensable de prêter toute son attention à ceux qui comptent sur nous, qu'il s'agisse d'accueillir des gens lors d'un événement ou d'écouter nos enfants à leur retour de l'école. Si on les aime sincèrement, c'est encore mieux. L'important, c'est de toujours traiter les autres comme on voudrait soi-même être traité.

Il est d'ailleurs fascinant de constater l'effet sur les gens de l'attention personnelle qu'on leur accorde. Ça fait une plus grande différence qu'on aurait imaginé. Je me rappelle par exemple ce jour où j'avais pris la décision de m'acheter une voiture neuve. On venait de lancer les modèles deux tons et j'avais fixé mon choix sur une belle Ford noir et blanc. Ayant toujours eu pour principe de payer comptant, j'avais économisé la somme nécessaire en vue de m'offrir cette splendeur le jour de mon anniversaire. C'est alors seulement que je me suis présentée chez un concessionnaire, mon sac à main bien garni.

Le vendeur m'ayant vu descendre de ma vieille voiture déglinguée, j'imagine qu'il a supposé qu'aucun modèle n'était à la portée de mes moyens. Il m'a en effet complètement ignorée.

Déterminée à acheter cette voiture, j'ai demandé à voir le gérant, mais celui-ci s'était absenté pour l'heure du midi. Plutôt que d'attendre là pendant une heure, je suis sortie pour me dégourdir les jambes en attendant son retour.

Tout juste en face se trouvait un concessionnaire Mercury. J'ai traversé la rue pour aller voir la salle d'exposition. Une splendide Mercury jaune a retenu mon attention, mais son prix était sensiblement plus élevé que celui de la Ford que je convoitais. Le vendeur, en revanche, était d'une grande courtoisie et s'est aussitôt informé de mes besoins. Ayant mentionné que je désirais m'offrir une voiture pour mon anniversaire, il s'est excusé quelques instants. Nous avons repris notre conversation dès son retour, jusqu'à ce que nous soyons interrompus par l'arrivée d'une douzaine de roses rouges qu'il m'a remises en me souhaitant bon anniversaire. C'est ainsi que je me suis retrouvée au volant d'une magnifique Mercury jaune plutôt que d'une Ford noir et blanc.

J'ai toujours cru à l'importance de touches personnelles de ce genre. Presque chaque mois, de nouvelles Directrices se rendent à Dallas afin d'assister à nos ateliers de formation professionnelle, et je m'efforce toujours de planifier mon emploi du temps en vue de faire leur connaissance.

Nombreuses sont celles qui désirent se faire photographier avec moi, ce que j'accepte de bon cœur, même s'il me faut parfois y consacrer beaucoup de temps. On m'a dit que ça irait plus vite si je ne faisais que poser avec elles, sans leur parler, mais j'ai vraiment l'impression que ces femmes se sentiraient blessées si j'agissais de la sorte. Je sais à quel point c'est important à leurs yeux, j'adresse donc toujours quelques mots à chacune.

Ces photos prises à mes côtés peuvent d'ailleurs constituer un excellent argument de vente pour ces nouvelles Directrices. Le matériel qu'utilisent nos Conseillères pour animer leurs cours de soins de la peau comprend ainsi une photo de moi qu'elles peuvent montrer à leurs invitées : « Et voici Mary Kay, notre présidente émérite, qui est aussi arrière-grand-mère! ». Étouffant un bâillement, ces invitées pourront réagir par un trait d'ironie : « Oui, bien sûr, et elle avait 14 ans sur la photo. ». Mais leur intérêt sera ravivé si la Conseillère sort de son sac une autre photo en disant : « Mais non! Me voici à ses côtés, tout juste le mois dernier! ». Un témoignage personnel, rien de mieux pour piquer la curiosité!

Ce genre de touche personnelle a pris encore plus d'importance avec la formidable expansion de notre Compagnie. Car les gens doutent parfois de mon existence réelle. Il arrive souvent qu'une femme m'aborde à l'occasion d'un de nos événements, l'air tout étonné : « Mais vous existez vraiment! J'ai peine à y croire! Et vous êtes dans la vie exactement comme on l'imagine. ».

Je m'efforce aussi de dire un mot personnel à toutes les femmes que je rencontre. C'est immanquable, j'en croise toujours qui me disent : « Oh, Mary Kay! Vous rappelez-vous notre première rencontre? Je débutais comme Conseillère et vous m'aviez promis une grande réussite! ». J'avoue que ma mémoire me joue parfois des tours, mais cela confirme l'importance pour mes interlocutrices des quelques mots que j'ai pu leur dire.

Cette touche personnelle peut même convaincre les sceptiques qui me considèrent comme un mythe plutôt qu'un être humain à part entière. Un homme a récemment passé à notre siège social quatre appels interurbains. Jennifer avait beau lui répéter que j'étais en réunion, il insistait pour me parler de vive voix. Finalement, il en a expliqué la raison : « Écoutez, ma femme est devenue Conseillère et désire faire une très grosse commande. Je refuse qu'elle le fasse avant d'en savoir plus sur votre Compagnie et de parler à cette fameuse Mary Kay. ».

Découvrant le message urgent de Jennifer, je l'ai rappelé sitôt ma réunion terminée. « Bon, me dit-il d'un ton satisfait, je me suis renseigné entre-temps et je vois que vous avez un chiffre d'affaires impressionnant. Et franchement, je suis épaté que vous ayez pris la peine de me rappeler en personne. »

En conversant un peu plus, j'ai appris qu'il possédait sa propre entreprise et que cette attention personnelle de ma part l'avait convaincu de notre intégrité. « Mary Kay, conclut-il, j'étais très sceptique, mais grâce à votre appel, me voici l'un de vos plus ardents défenseurs. ».

J'en étais d'autant plus heureuse qu'il semblait au début très hésitant à faire confiance à sa femme. Celle-ci pouvait désormais compter sur son appui.

Comme je l'expliquais au chapitre 9, nous nous faisons un devoir d'aider nos Conseillères à gagner le soutien de leur famille. Lorsqu'elles se rendent à Dallas pour la semaine de formation des nouvelles Directrices, nous adressons à leurs proches une lettre les remerciant de leur compréhension et décrivant les avantages de cette formation. Nous la postons le lundi pour qu'elle arrive en milieu de semaine, quand l'évier commence à se remplir de vaisselle, afin d'aider mari et enfants à retrouver le moral. Je m'assure en outre de signer personnellement chacune de ces lettres que je juge très importantes.

Depuis nos débuts, nous avons envoyé des cartes de Noël et d'anniversaire à chacune des personnes qui travaillent avec nous, ce qui totalise des centaines de milliers de cartes rigoureusement mises à la poste pour arriver à la date prévue. J'en supervise la conception et en choisis les messages, imprimés de manière à reproduire ma propre écriture. « Merveilleux anniversaire à une femme merveilleuse » est l'un de mes préférés, ou encore : « Les choses vraiment précieuses en ce monde sont aussi rares que vous êtes unique. ».

Nous envoyons par ailleurs un certificat d'anniversaire aux Conseillères qui célèbrent leur première année chez Mary Kay, de même qu'à chacune des années subséquentes. Une jolie broche ornée du chiffre « 5 » leur est envoyée au terme de leur cinquième année parmi nous.

Quant à nos milliers de Directrices, elles reçoivent toutes un petit cadeau à l'occasion de Noël et de leur anniversaire. Une année, il s'agissait d'une peluche (Mrs Bear) très mignonne, comme celle que Mel m'avait une fois offerte en guise de « cadeau du jeudi ». Un ourson parlant qui disait des phrases comme « Vous êtes merveilleuse... vous irez jusqu'au sommet » ou « Je vous aime. Vous êtes fantastique. Il n'y a rien que vous ne pouvez accomplir! » quand on tirait sa ficelle.

J'exige aussi qu'on réponde à toutes les lettres qui me sont adressées, en considération de la peine qu'on s'est donné pour m'écrire. Il m'est bien sûr impossible de répondre seule à mon volumineux courrier, mais nous avons mis au point un système d'analyse et de réponse aussi personnalisé que possible.

Cela dit, je m'acquitte moi-même de nombreuses responsabilités. Chaque jour, je rédige à la main une douzaine de mots de condoléances aux membres de notre personnel et de notre effectif de vente ayant perdu un être cher. J'envoie de même un mot à celles qui sont gravement malades. J'y ajoute toujours quelques lignes d'un poème qui m'a inspirée dans les périodes difficiles de ma propre vie. Je n'hésite pas non plus à décrocher le téléphoner pour m'entretenir de vive voix avec celles qui traversent une épreuve, pour les réconforter et leur assurer du soutien de leur « famille Mary Kay ». Ce genre d'appel ne prend que quelques minutes, mais semble faire merveille sur le moral des personnes affligées par un malheur.

Malgré la taille de notre Compagnie, nous nous sommes toujours efforcés d'y maintenir une ambiance chaleureuse et familiale. Tout le monde appelle ainsi mon fils Richard par son prénom. Quant à moi, on m'appelle Mary Kay, tout simplement. Pas question de Monsieur, Madame. Si quelqu'un me dit Mme Ash, j'ai l'impression qu'il ne me connaît pas ou qu'il a quelque chose à me reprocher. Aucune plaque portant de titre hiérarchique n'est fixée sur les portes des bureaux de notre siège social. Des portes qui restent d'ailleurs ouvertes en permanence, sauf pendant nos réunions, ce qui incite évidemment les membres de notre personnel à entrer un peu partout sans prévenir, mais je crois important de conserver cette simplicité d'accès à notre équipe.

Peu de portes fermées, donc, et vous ne trouverez pas non plus de salles de bains et de salles à manger réservées à la haute direction. Nous avons une agréable cafétéria dont l'atmosphère détendue a été étudiée pour que tout le monde s'y sente à l'aise.

Notre Compagnie a pris une telle expansion qu'il m'arrive de croiser dans l'ascenseur des gens que je ne connais pas. Si les documents qu'ils transportent indiquent qu'ils travaillent chez nous, je me présente comme suit : « Bonjour, je ne crois pas que nous ayons fait connaissance, je suis Mary Kay. » Je me suis toutefois aperçue que cela pouvait en intimider certains, et je participe désormais à notre programme d'accueil mensuel des nouveaux employés. Comme les personnes présentes à ces réunions sont nouvelles, elles adoptent une attitude officielle et sérieuse. J'y raconte donc quelques anecdotes en faisant le bref historique de la Compagnie afin de les mettre à l'aise. Un sourire détend bientôt tous les visages. On apprend ainsi à me considérer comme une amie plutôt qu'une présidente inabordable.

Il est arrivé que certains de nos cadres dirigeants ne puissent s'adapter à cette ambiance familiale, souvent parce qu'ils provenaient d'une entreprise très hiérarchisée. L'un d'eux, notamment, gardait la porte de son bureau fermée et refusait de parler aux Conseillères et Directrices qui nous rendaient visite. Son impolitesse était parfois carrément choquante. Il avait hérité ces habitudes de l'entreprise d'où il venait (difficile à croire, n'est-ce pas?), et je lui ai finalement adressé un ultimatum : « Dites-vous bien que vous devez votre poste à nos Conseillères et Directrices, qui sont à mes yeux les personnes les plus importantes du monde. Ne croyez-vous pas que vous devriez adopter la même attitude? ». Il a su faire amende honorable et modifier la conception qu'il se faisait de son rôle. Il s'est mis à dérouler le tapis rouge devant chaque Conseillère et Directrice qui l'approchait. Tout le monde en a évidemment soupiré d'aise, et les choses se sont fort bien arrangées.

Malheureusement, toutes les entreprises n'ont pas le même respect pour leur personnel. Comme en témoigne cette triste expérience vécue par un de nos employés alors qu'il travaillait pour une autre entreprise. Sa femme enceinte ayant commencé à avoir des contractions au milieu de la nuit, il l'avait conduite à l'hôpital où l'on a constaté que l'enfant se présentait par le siège. Le cas était particulièrement difficile et l'on a craint pendant deux jours pour la vie de la mère. L'homme est donc resté à ses côtés tout ce temps, oubliant de téléphoner au travail, où l'on savait pourtant que l'accouchement était imminent.

Cet oubli lui a coûté son emploi. Même après avoir expliqué la situation, son employeur lui a rétorqué sans le moindre scrupule : « Si votre emploi n'est pas votre priorité, vous ne méritez pas de travailler ici. Vous êtes congédié. ».

Cet homme a donc postulé aux Cosmétiques Mary Kay après qu'on lui eut parlé de nos valeurs familiales. Sachant que nous donnions priorité à la famille, son poste ne serait plus menacé advenant un problème analogue. En fait, nous l'aurions félicité du soutien qu'il avait apporté à sa femme. « Mary Kay aurait envoyé des fleurs plutôt qu'une fiche de licenciement », concluait-il en racontant sa mésaventure. Cette réputation que nous avons acquise nous est très précieuse. Nombreux sont les candidats et candidates à chaque poste que nous offrons, et le moral de nos employés est tout simplement formidable!

Dans notre Compagnie, nous privilégions tous cette touche personnelle et cette courtoisie qui nous caractérisent. Un jour, un homme est entré dans notre immeuble et s'est assis près de la réception sans demander à voir personne. Au bout d'un moment, notre réceptionniste s'est adressée à lui : « Puis-je vous être utile de quelque manière?».

— « Non merci, je suis simplement venu me détendre, refaire le plein d'énergie. Voyez-vous, mon métier nécessite de faire chaque jour la tournée de plusieurs entreprises, et on m'accueille si souvent avec rudesse que je m'arrête ici pour m'aérer l'esprit. Tout le monde y est souriant et heureux de travailler. Ça met un peu de soleil dans ma journée. ». C'est à mes yeux l'un des plus beaux compliments qu'on nous ayons reçus!

D'autres visiteurs et visiteuses qui se rendent en taxi à notre siège social nous ont dit que les chauffeurs leur réservent un traitement royal : « Les Cosmétiques Mary Kay? Avec plaisir! C'est la meilleure Compagnie en ville, la seule où l'on m'invite à m'asseoir à la réception quand je dois attendre une cliente ou un client. ».

Une touche personnelle donne à chaque être humain le sentiment d'être apprécié pour lui-même. « La considération permet de huiler les rouages du progrès », a dit un auteur. Bon nombre de nos pratiques diffèrent ainsi de celles qui ont cours dans le monde des affaires, mais c'est précisément ce qui a contribué à notre croissance.

« Mary Kay, m'écrivait récemment un homme, votre Compagnie prend chaque jour une telle expansion que je m'inquiète d'y voir disparaître cette touche personnelle qui vous distingue. ».

Je lui ai répondu que j'ai moi-même eu cette crainte lorsque les membres de notre effectif de vente et de notre personnel ont pour la première fois totalisé 1 000 personnes. Cette crainte m'a de nouveau saisie en constatant que nous étions 5 000, puis 10 000, et 20 000. Aujourd'hui que notre Compagnie regroupe 325 000 personnes, je m'en inquiète plus que jamais! Et je m'en inquiéterai toujours. Une inquiétude finalement très profitable puisqu'elle m'incite à tout mettre en œuvre pour préserver cette touche personnelle que chacun nous reconnaît. Richard partage d'ailleurs ce sentiment avec moi que moi. Cela me rassure énormément car je sais qu'il perpétuera cette philosophie qui me tient tant à cœur.

20

La plus belle preuve de notre réussite

LES CONSEILLÈRES MARY KAY sont de milieux, de croyances et d'origines extrêmement variés. Très jeunes femmes ou grand-mamans, elles sont aussi de tous les âges. On les retrouve aux États-Unis dans les plus grandes villes et les plus lointaines campagnes, et dans plus de 20 pays sur les cinq continents. J'aimerais pouvoir vous parler de chacune d'entre elles, car toutes ont une passionnante histoire à raconter.

Au-delà de ces différences, toutes partagent des valeurs d'entraide et de générosité qui me semblent uniques dans le monde des affaires. Quand j'ai fondé cette Compagnie, personne ne voulait croire à la prospérité d'une entreprise reposant sur la Règle d'or. Or, la famille Mary Kay prouve aujourd'hui que les femmes peuvent jouir d'une grande réussite personnelle tout en travaillant selon cette philosophie de vie.

Pour certaines, cette réussite consiste à couvrir les frais de scolarité de leurs enfants ou à s'offrir une jolie maison. Pour d'autres, il s'agira de viser les sommets de la prospérité. Quelle que soit leur définition du succès, toutes s'entendent pour privilégier les valeurs spirituelles et familiales, conformément à notre philosophie des trois priorités : Dieu, famille et carrière.

Tout au long des pages de ce livre, j'ai évoqué le parcours de nombreuses Conseillères et Directrices ayant réalisé leurs objectifs personnels et professionnels. Cela, parce que leur succès illustre la véritable réussite des Cosmétiques Mary Kay. Peu importe notre chiffre d'affaires, toutes ces femmes représentent notre atout le plus précieux. Quels que soient en effet les bénéfices d'une entreprise, sa valeur sera négligeable si elle n'enrichit pas la vie des hommes et des femmes qui y travaillent. Notre richesse à nous se traduit par la satisfaction des milliers de femmes qui vivent aujourd'hui une existence épanouie auprès de leur famille. C'est là, selon moi, la plus belle preuve de notre réussite.

Si vous m'avez lue depuis le début, vous conviendrez sans doute que je suis partie de rien pour bâtir à force de patience et d'acharnement une Compagnie d'enviable réputation. J'avoue être fière de ma vie et de cet héritage que j'ai construit.

Je ne suis toutefois pas seule de ma trempe.

Des milliers de femmes qui peuplent l'univers Mary Kay ont accompli grâce à leur carrière des choses exceptionnelles. Je vous recommande d'ailleurs le livre *Room at the Top* (Une place au sommet) que nous avons publié qui raconte les histoires personnelles de certaines de nos plus grandes Directrices nationales des ventes, statutle plus convoité de notre parcours de carrière.

Rien n'est plus motivant que ces « histoires personnelles », comme nous les appelons. Toutes les femmes peuvent en effet s'y reconnaître puisque ces récits apportent la preuve éclatante qu'on peut provenir de tous les milieux et se hisser jusqu'aux plus hauts sommets de la réussite.

L'une des héroïnes de ce livre fascinant n'avait jamais rédigé le moindre chèque avant d'entreprendre sa carrière Mary Kay et gagne aujourd'hui, en tant que Directrice nationale des ventes, beaucoup plus que le président des États-Unis. Une autre vivait dans un logement subventionné, une autre encore a fui le régime communiste cubain. Une dernière ne pouvait supporter l'idée de ne pas conduire comme sa meilleure amie une splendide Cadillac rose!

Comme je l'ai déjà évoqué, il arrive souvent que la réussite d'une femme chez Mary Kay permette à son mari à de quitter un emploi qu'il détestait. Un de ces maris était économiste et rêvait d'ouvrir son propre salon de coiffure! Un autre était ingénieur et a préféré devenir pasteur. Les exemples de ce genre abondent.

D'autres récits très émouvants concernent des mères monoparentales qui n'arrivaient pas à joindre les deux bouts avec leur emploi traditionnellement « féminin » de secrétaire, d'infirmière ou d'enseignante.

L'une de nos Directrices nationales les plus prospères travaillait dans une usine de cartouches de fusil, la nuit de surcroît. Une autre a renoncé sans jamais le regretter à une carrière prometteuse à la télévision.

Anciens mannequins, bénévoles, universitaires ou femmes au foyer sans diplôme; nos Directrices nationales ont tout fait avant de se joindre à nous. L'une d'elles vendait des tartes maison pour arrondir ses fins de mois. Une autre était cofondatrice d'un des principaux organismes de charité du Texas.

Qu'elles aient survécu à de graves maladies ou se soient heurtées dans le métier qu'elles avaient choisi au tristement célèbre « plafond de verre », toutes, vous en conviendrez, ont finalement connu un destin qui se rapproche parfois du conte de fées.

Bref, *Room at the Top* apporte mieux que toute autre lecture la plus belle preuve de la justesse de notre théorie selon laquelle toutes les femmes — indépendamment de leur âge, leur couleur, leur milieu d'origine ou leurs croyances — peuvent intégrer à leur vie la gestion d'une entreprise Mary Kay. Et ce sont exactement ces femmes à qui je pensais en 1963.

Leurs histoires sont des plus inspirantes. Leur réussite me comble d'une incroyable fierté. Mon rêve, j'ai pu l'accomplir grâce à leur loyauté et à leur dévouement. Personne au monde n'incarne mieux les qualités de détermination et de générosité. Elles ont travaillé fort et donné beaucoup d'elles-mêmes. Elles se sont enrichies personnellement et professionnellement en servant d'exemple à leurs proches et amis. Et elles ont découvert comme moi-même qu'il est extrêmement gratifiant d'aider d'autres femmes à réaliser leurs rêves.

Comment dès lors ne pas comprendre que j'affectionne à ce

point chacune de nos Conseillères et Directrices, celles-là mêmes qui m'ont permis de transformer mon rêve en une réalité incontestable. « Les Cosmétiques Mary Kay est réputée pour la qualité des femmes qui y font de longues carrières », a-t-on déjà dit. Oui, elles sont exceptionnelles, ces femmes à qui je dois tout.

21

Mon héritage

SI LES COSMÉTIQUES MARY KAY est née du rêve d'une seule femme, il y a déjà longtemps que la perpétuation de ce rêve ne dépend plus de moi seule, mais d'une immense équipe soudée par nos valeurs et principes fondateurs.

Plusieurs analystes financiers me font régulièrement ce commentaire : « Jusqu'à maintenant, Les Cosmétiques Mary Kay représente à n'en pas douter un phénomène unique dans le monde des affaires, et tout se déroule on ne peut mieux. *Mais qu'arrivera-t-il quand vous ne serez plus là?* ».

Je leur explique qu'à une certaine époque, la Compagnie reposait à peu près sur mes seules épaules. Au début, la réussite de toute entreprise dépend du reste de la présence assidue d'une ou deux personnes clés. Beaucoup d'eau a cependant coulé sous les ponts depuis 1963. Notre effectif de vente regroupe dans le monde des centaines de milliers de professionnelles de la vente compétentes, soutenues par une équipe de gestion expérimentée. Il y a donc belle lurette que les responsabilités sont partagées, comme l'exigeait d'ailleurs notre croissance.

Comme Les Cosmétiques Mary Kay, beaucoup d'entreprises sont identifiées à leur seul fondateur. De nombreuses sociétés américaines se sont ainsi fait connaître grâce à l'image de leur créateur. Rares sont ceux qui prévoyaient que la *Ford Motor Company* survivrait à Henry Ford. De même pour la *DuPont Chemical,* dirigée pendant un siècle et demi par une même famille. Quand on a finalement recruté hors du cercle familial un nouveau président-directeur général, personne ne donnait cher de sa peau. Aujourd'hui, Du Pont est l'un des géants mondiaux de l'industrie chimique. Les entreprises bien gérées survivent en fait à tous les changements de direction. Lorsqu'elles disparaissent après le départ de leur fondateur, il faut d'après moi blâmer celui-ci pour n'avoir pas su développer une solide relève.

Toute la force des Cosmétiques Mary Kay repose sur son personnel et son effectif de vente. Nous œuvrons non seulement dans l'industrie des cosmétiques, ai-je dit précédemment, mais dans le domaine des relations humaines. Aussi, notre premier objectif est-il d'offrir aux femmes de merveilleuses opportunités de carrière. Celles qui en profitent répondent à leur tour aux besoins d'autres femmes en leur enseignant les soins de la peau. Bref, notre raison d'être consiste à enrichir des vies. Ce principe, nous l'appliquons également au sein de la Compagnie, dont chaque employé est incité à mettre en valeur son plein potentiel.

Les Cosmétiques Mary Kay n'existerait pas sans toutes ces merveilleuses personnes. Malgré le roulement de personnel lié aux cycles normaux d'une entreprise, elle conservera sa force grâce à sa *philosophie*. Plus solide sera cette philosophie, mieux elle survivra aux épreuves, y compris aux réorientations majeures. *DuPont*, par exemple, était l'un des plus grands fournisseurs de poudre à canon entre la guerre de 1812 et la Première Guerre Mondiale. *Rockwell International,* géant de l'aérospatiale, fabriquait à un moment des compteurs de taxi. *American Express*, elle, a débuté dans la messagerie rapide par relais de cavaliers! Toutes se sont admirablement adaptées au changement, conservant ainsi leur position de chef de file.

J'en suis convaincue, notre philosophie nous assurera également de franchir l'épreuve du temps, notamment parce qu'elle repose sur trois idées à la fois simples et généreuses dont la première et la plus importante n'est autre que la Règle d'or. Traiter les autres comme on aimerait soi-même être traité : c'est ce que nous enseignons au membres de notre effectif de vente. Ce principe, aussi appelé « esprit d'entraide », prévoit en outre de reconnaître celles qui l'appliquent en aidant d'autres femmes à réussir, sans rien attendre en retour. « Ça ne peut absolument pas fonctionner! », nous ont dit bien des observateurs. Notre expérience et notre réussite prouvent exactement le contraire!

La deuxième pierre angulaire de notre philosophie consiste à donner dans l'ordre la priorité à Dieu, à la famille puis à la carrière. Or, de nombreux chefs d'entreprise croient que nous devrions inverser cet ordre. Nous sommes cependant convaincus que personne ne peut réussir professsionnellement sans équilibrer au préalable sa vie personnelle et spirituelle.

Enfin, la troisième pierre angulaire réside dans cette conviction profonde que chaque être humain possède en lui un extraordinaire potentiel, et que tous peuvent réussir en y étant sincèrement encouragés. Tant de femmes ont débuté chez nous sans avoir la moindre confiance en soi. « Je vais essayer », disaient-elles. « Oui peut-être, enfin, peut-être pas… ». Nous leur avons enseigné à vaincre leur insécurité en s'affirmant : « Oui, je peux, je dois et je vais le faire! ». Avec des résultats probants et durables. Chaque femme peut s'épanouir au maximum de ses capacités, comme Dieu l'a voulu pour nous toutes et comme le prouvent les succès innombrables de nos Conseillères et Directrices.

La réussite continue de notre Compagnie repose sur ces trois idées philosophiques, et non sur moi. C'est pourquoi je m'assure que toutes les personnes au sein de notre entreprise comprennent à quel point nous y tenons. Chaque décision d'entreprise s'en inspire. Chaque nouvelle Conseillère est recrutée suivant ces concepts et apprend à les respecter. On revient encore là-dessus lorsqu'elle devient Directrice des ventes et se rend à Dallas pour suivre sa formation professionnelle.

Les milliers de femmes qui ont suivi nos différents programmes de développement professionnel sont en vérité les gardiennes de l'esprit et de la philosophie Mary Kay. Et j'ai toujours compté sur chaque Directrice pour satisfaire aux rigoureuses normes d'intégrité et d'honnêteté que nous préconisons.

Dieu a mis longtemps à me préparer à la tâche qu'il me réservait. De longues années de réflexion, de tentatives répétées, de déceptions et de travail acharné m'auront finalement conduite à fonder cette Compagnie.

Et je suis fière que mon fils Richard, dont les qualités humaines et professionnelles lui ont valu tout à la fois le respect et l'affection de tous, préside à l'heure actuelle notre conseil d'administration.

Il arrivera un jour où je ne serai plus là. Ce moment venu, je sais que nos Directrices nationales des ventes reprendront le flambeau avec panache. Chacune a débuté comme Conseillère et gravi l'échelle du succès pour devenir aux yeux des membres de notre effectif de vente un exemple à suivre. Je les qualifiais souvent de « futures Mary Kay », mais c'est d'ores et déjà au présent qu'elles accomplissent le travail qui promet à notre Compagnie un avenir radieux.

Il y déjà longtemps que je ne m'inquiète plus du destin des Cosmétiques Mary Kay après mon départ, mais je me sentais, à l'époque, une énorme responsabilité à l'égard des milliers de personnes qui plaçaient leur confiance en moi. Je voulais à tout prix que notre merveilleuse opportunité de carrière soit toujours là. J'étais en vérité habitée du désir de leur laisser un héritage.

Je sais aujourd'hui que cet héritage est assuré. Cette Compagnie porte mon nom, mais elle existe désormais par elle-même car des milliers de femmes en font une partie intégrante de leur vie. Des femmes qui *incarnent* une philosophie d'entraide et de partage qu'elles sauront perpétuer.

Épilogue

« L'histoire de notre Compagnie est intimement liée à l'histoire de ma vie. Deux histoires en une, en somme, qui n'ont rien à voir avec le prestige ou la fortune, mais qui évoquent à mes yeux le parcours d'une mère et d'une fille ayant la même mission d'enrichir la vie des femmes. Des femmes en grand nombre qui ont aussi enrichi ma propre vie, tant il est vrai que ce qu'on accomplit pour les autres nous est rendu au centuple. Plus que jamais, ma première source d'inspiration est de voir ces femmes réaliser leurs rêves. »

— Mary Kay Ash, 1992, extrait de *Pearls of Wisdom*

Mary Kay Ash s'est éteinte le 22 novembre 2001, en ce jour que Dieu a choisi pour rappeler à ses côtés notre bien-aimée fondatrice.

Au cours des semaines ayant suivi l'annonce de son décès, les médias ont unanimement salué sa contribution au monde des affaires et plus encore à l'épanouissement des femmes. Notre siège social a reçu des milliers de lettres de gens qui la connaissaient ou non, de femmes et de familles dont elle avait profondément transformé la vie. Et depuis, les hommages n'ont cessé d'affluer.

Le présent épilogue met en perspective l'autobiographie que Mary Kay a publiée en 1981. Plus que jamais d'actualité, l'histoire de sa vie continuera encore longtemps d'inspirer à d'innombrables femmes le désir d'une réussite à la hauteur de leurs rêves et ambitions, car l'exemple de notre fondatrice est tout simplement intemporel.

Le Président-directeur général et cofondateur de notre compagnie, Richard Rogers, le fils de Mary Kay, avait la vingtaine à la création de l'entreprise. Il résume ici la patience et la détermination qui ont été nécessaires à la concrétisation du rêve de sa mère : « Je m'étais adressé à toutes les banques pour financer notre croissance, me laissant même pousser la moustache pour faire plus sérieux. Les banquiers blaguaient sûrement dans notre dos en parlant de ce gamin et de sa mère qui vendaient des cosmétiques et voulaient emprunter combien déjà? Mais nous avons persévéré. ».

Si Mary Kay elle-même avouait que les débuts de la Compagnie « n'ont pas été fulgurants », la rentabilité a tout de suite été au rendez-vous. Comme toujours, elle avait misé sur le dynamisme, la rigueur et l'optimisme, se donnant dès l'origine Dieu pour principal partenaire.

Cotée en Bourse pendant quelques années, la Compagnie est redevenue une entreprise familiale en 1985, lorsque Mary Kay a racheté les parts de ses actionnaires : « Le rêve de ma mère était trop important, rappelait son fils en 2001, pour le confier à une entité anonyme qui n'endossait pas sa mission humaine et généreuse. ».

C'est ainsi que son rêve continue de profiter à toutes celles qui s'en inspirent. Dirigé par les Directrices nationales des ventes indépendantes à qui Mary Kay a transmis sa mission d'enrichir la vie des femmes, notre effectif de vente international totalise aujourd'hui près d'un million de femmes réparties sur les cinq continents. Quant à notre réussite, les chiffres parlent d'eux-mêmes : depuis l'Épilogue de ce livre de 1994, nos ventes ont doublé et notre effectif de vente, dont chaque femme représente l'âme de la Compagnie, a presque triplé. Toujours en 1994, 74 Directrices nationales totalisaient en carrière des commissions d'au moins un million de dollars. En 2003, on en dénombrait presque 200, dont plusieurs multimillionnaires. L'une d'elles a même franchi le cap des dix millions en commissions.

Aussi impressionnants qu'ils soient, ces chiffres en disent encore trop peu. Car l'essentiel réside dans l'ascension des milliers de mères au foyer devenues en quelques années de brillantes femmes d'affaires, et des milliers d'autres ayant quitté un emploi au salaire minimum pour gagner des revenus optimaux. La réussite de chacune d'entre elles témoigne de la possibilité de surmonter tous les obstacles afin d'acquérir autonomie, estime de soi et indépendance financière.

Un virage rose historique

En 1963, Mary Kay a quitté un poste de Directrice nationale de la formation dans une entreprise de vente directe lorsque, après avoir formé un nième nouveau venu, celui-ci a obtenu un poste plus important et un salaire deux fois supérieur. En dressant le bilan de sa vie, notre fondatrice disait en 1995 : « Dans ce milieu masculin, il allait de soi à l'époque que toutes les femmes avaient une cervelle d'oiseau. J'ai vite compris qu'on ne nous accorderait jamais la moindre chance. ».

Riche d'une expérience de 25 ans dans la vente directe, elle a donc créé l'opportunité de carrière dont les femmes avaient besoin. Cette initiative historique visait à leur donner le pouvoir de réussir tout en aidant les autres à faire de même. Au fil des années, Mary Kay a ainsi rendu leur force et leur confiance à des milliers de femmes qui ne croyaient pas avoir beaucoup à offrir au monde des affaires.

Dès le début, elle a établi que seuls les rapports humains l'intéressaient, parlant épanouissement et potentiel au lieu de profits et pertes. « J'ai créé cette Compagnie pour offrir aux femmes des possibilités qu'on leur refusait partout », disait-elle. D'où une série d'innovations comme les horaires flexibles, l'élimination des territoires de vente et une culture d'entreprise fondée sa philosophie des trois priorités : Dieu, famille et carrière.

L'auteur et motivateur Zig Ziglar, un ami proche, la décrivait ainsi : « Mary Kay incarnait le rêve américain dans ce qu'il a de plus pur. Elle a transformé pour les femmes de tous horizons un rêve impossible en réalité. Perspicace et avisée, elle adorait les gens et savait apporter à chacun une reconnaissance affectueuse. »

John P. Kotter, spécialiste en leadership de la *Harvard Business School,* explique ainsi ce qui distinguait Mary Kay des chefs d'entreprise traditionnels : « Elle était une leader d'exception à une époque où la majorité des dirigeants d'entreprise se contentent d'une gestion sans histoire. C'était une entrepreneure imaginative et hors du commun », confiait-il après son décès au *Dallas Morning News.* La *Harvard Business School* n'est qu'une des nombreuses universités conseillant la lecture de Mary Kay *On People Management.* On dit que plusieurs grandes entreprises le font aussi lire à leurs gestionnaires. Les trois ouvrages de Mary Kay, y compris *You Can Have It All* paru en 1995, ont d'ailleurs été des meilleurs vendeurs.

Le magazine *Forbes* a reconnu les remarquables qualités de notre fondatrice en faisant figurer Les Cosmétiques Mary Kay parmi les plus grandes réussites d'entreprise de tous les temps (*Greatest Business Stories of All Time*). Seules 20 entreprises avaient été retenues, celle de Mary Kay étant la seule dirigée par une femme.

Deux ans plus tard, nous avions la vedette d'une liste de 14 compagnies dans *Good Company: Caring as Fiercely as You Compete,* un ouvrage louant les rares entreprises à la fois humaines et compétitives. Une liste établie selon des critères analogues à ceux qui nous ont permis de figurer trois fois parmi « Les cent meilleures entreprises où travailler en Amérique » et les dix meilleures pour les femmes. Pas étonnant qu'en 2003, un livre consacré aux principes de Mary Kay soit devenu un meilleur vendeur aux États-Unis.

Cette humanité innée de Mary Kay s'est raffermie au gré de quelques déceptions professionnelles. Avant de fonder sa Compagnie, elle multipliait ainsi records de vente et premiers prix, comme l'y incitait sa compétitivité, mais une année, un sac en alligator qu'elle convoitait avait été remis à une consœur de *Stanley Corporation.* Dès l'année suivante, elle remportait ce premier prix, pour découvrir toutefois qu'on avait remplacé l'élégant sac par un prix moins intéressant.

Lors du 30e anniversaire de sa propre Compagnie, en 1993, un dirigeant de la Stanley Corporation a voulu souligner son immense contribution au secteur de la vente directe en lui remettant sur la scène du Séminaire un superbe sac en alligator : « Pour Mary Kay, a-t-il dit en lui rendant hommage, ce sac représente un prix qu'elle a manqué. Mais la *Stanley Corporation* a perdu quelque chose de beaucoup plus précieux le jour où Mary Kay nous a quittés. ».

Penser comme une femme

Mary Kay a voulu sensibiliser les femmes à leurs dons innés après qu'on lui eut refusé un poste sous prétexte qu'elle « pensait comme une femme ». Transformée en un précieux atout par Mary Kay, cette pensée veut que chaque femme puisse contribuer au mieux-être de sa famille, de son milieu et de son pays tout en restant féminine.
Mary Kay croyait que nous devions être rétribuées selon notre valeur et inciter d'autres femmes à en prendre conscience. Dans le monde hyper compétitif des affaires, elle préconisait d'éviter toute concurrence entre femmes pour se faire plutôt concurrence à soi-même, en brisant ses propres records et en atteignant ses propres sommets.

Dans les médias, on la comparait à d'autre chefs d'entreprise légendaires de Dallas, des États-Unis et finalement du monde entier. En vérité, Mary Kay était un phénomène unique du fait de sa mission d'embellir la vie des femmes à tous points de vue. Leader sensible et brillante, elle s'adressait à nos cœurs bien au-delà de toute ambition financière ou hiérarchique. Sur ce plan, elle n'avait et n'a toujours aucun concurrent dans le monde des affaires.

On ne saurait du reste sous-estimer son influence sur l'univers des femmes. En 1999, les auditrices de la chaîne câblée *Viewers of Lifetime*, dont la programmation vise un public féminin, l'ont élue haut la main « Femme d'affaires du XXe siècle ». Et au tournant du nouveau millénaire, la revue spécialisée *Women's Wear Daily* l'a classée parmi les six femmes ayant transformé en profondeur l'industrie cosmétique.

Et malgré cet éblouissant parcours, elle était d'une simplicité désarmante. À son décès, la une d'un quotidien de Dallas l'a décrite en ces mots, repris ensuite dans le monde entier : « À la fois douce et inflexible, ultra féminine et fière de ses racines texanes. Une véritable main de fer dans un gant de velours. ». C'est vrai, Mary Kay n'a jamais oublié ses origines malgré l'admiration dont elle était l'objet. La fillette née à Hot Wells (Texas) à la fin de la Première Guerre Mondiale, qui s'occupait de son père malade tandis que sa maman travaillait pour nourrir ses enfants, était une femme aussi simple d'approche que flamboyante de style. Elle était elle-même et personne d'autre.

Toute beauté émane de l'intérieur

Au-delà des crèmes, rafraîchissants et fonds de teint perfectionnés, Mary Kay a su promouvoir une qualité de vie. Sa propre existence témoignait de son enseignement : aucune réussite véritable ne s'obtient en sacrifiant au nom du succès sa spiritualité et sa famille.

La reine du rose qui a frayé à des millions de femmes la voie d'un mode de vie luxueux savait apprécier les plaisirs les plus simples. Elle aimait jardiner, cuisiner et collectionner les livres de recettes, faisant souvent elle-même son marché. En dépit d'une fortune considérable, elle goûtait la simplicité avant toute chose.

Mary Kay chérissait aussi l'amitié des femmes de son effectif de vente. Elle adorait les accompagner lors des fameux voyages de la Compagnie et faire avec elles les boutiques de Hong Kong, Rome ou Paris, ou découvrir l'artisanat des pays exotiques qu'elles visitaient ensemble, ou encore s'asseoir sur le lit dans leur chambre d'hôtel, pour papoter et comparer leurs trouvailles.

Elle était la même femme en public et en privé, même si l'amour qu'elle portait à son travail brouillait parfois la frontière entre les deux. Longtemps après avoir été nommée Présidente émérite, elle est restée ainsi fidèle à son « Club des lève-tôt » en continuant de se lever avant l'aube. « Je suis toujours impatiente d'attaquer mes journées, s'emballait-elle, car je planifie pour chacune des activités stimulantes. » Quand on lui a annoncé que la marque Mary Kay^MD accaparait 10 pour cent du marché, soit une part énorme compte tenu de la compétitivité de l'industrie cosmétique, elle a eu cette réponse : « Conquérons maintenant les 90 pour cent restants! ».

Oui, elle saisissait chaque occasion qui se présentait. Réputée pour son sens de l'organisation, elle menait de front plusieurs activités sans négliger cette « touche personnelle » qui la caractérisait. Elle accordait à tous une attention individuelle, de son mari à sa domestique, aux femmes qui attendaient en file pour avoir son autographe. Bourreau de travail enjouée, elle préférait voir à l'épanouissement des femmes qu'à s'adonner à toute autre activité.

Mary Kay était de surcroît pleine d'humour et de spontanéité, comme peuvent en témoigner tous ceux qui l'ont côtoyée. Ses piquantes réparties dénotaient une grande vivacité d'esprit. En fait foi cet échange savoureux avec le journaliste de la chaîne CBS Morley Safer, dans le cadre de l'émission *60 Minutes*. Au milieu d'une conversation détendue, celui-ci lui a soudain demandé :
« Mary Kay, j'ai passé quelques jours dans votre entourage et l'on ne cesse d'y invoquer Dieu à tout propos. Est-ce que vous n'utilisez pas Dieu pour arriver à vos fins? » Le regardant droit dans les yeux, Mary Kay lui a répondu du tac au tac : « Non, Monsieur Safer, j'espère sincèrement que ce soit l'inverse. Que Dieu m'utilise pour arriver à Ses fins à Lui. ».

Une rédactrice du magazine *Savvy* qui l'interviewait un jour a abordé la question des Cadillac roses, une récompense de carrière sur laquelle on lui demandait souvent de s'expliquer. Il faut croire qu'elle l'a fait avec brio, car on a pu lire cette accroche en couverture du magazine : « Mary Kay : Vous vous moquez des Cadillac roses? De quelle couleur est la voiture que vous a donnée votre employeur? ». Elle adorait ce mot d'esprit et le citait souvent.

Un jour, elle a répliqué à une journaliste de la télé qui l'interrogeait en coulisses sur son âge : « Et vous, quel est votre poids? ».

Elle parlait le langage de l'espoir

Mary Kay était profondément émue par la situation des femmes vivant dans la pauvreté, victimes de mauvais traitements ou souffrant d'une faible estime de soi. Par tout ce qui les empêche d'être heureuses en somme. Une empathie qui s'étendait au monde entier. Dès le début des années 1990, elle a ainsi compris que son opportunité de carrière pourrait bénéficier aux femmes des quatre coins du globe.

Peu après la réunification de l'Allemagne, où elle s'était rendue en 1990 à l'occasion d'un événement de la Compagnie, elle a été émue jusqu'aux larmes lorsqu'une femme a déclaré au micro, dans un anglais teinté d'un fort accent : « D'abord la liberté, et maintenant Mary Kay! ». La joie de cette femme symbolisait l'espoir d'une vie meilleure qu'une foule d'autres femmes à des milliers de kilomètres de Dallas, découvraient grâce à Mary Kay.

On trouve aujourd'hui sur les cinq continents des femmes qui développent leur entreprise Mary Kay, parfois dans des conditions économiques très difficiles. Même dans les pires conditions qui soient, elles peuvent gagner bien davantage qu'en occupant les rares emplois offerts dans leur pays. Dans les régions retirées, certaines doivent voyager deux jours pour se procurer leurs stocks de produits Mary Kay[MD] et faire des trajets de 12 heures en avion pour assister à nos événements, mais elles persévèrent avec détermination en vue d'accomplir leur rêve. Dans certains pays anciennement communistes, des responsables gouvernementaux ont même adopté nos principes de gestion pour motiver leur personnel. C'est dire à quel point la philosophie de Mary Kay exerce après 40 ans un attrait de plus en plus universel!

Partout, notre Compagnie a favorisé d'innombrables réussites personnelles qui inspirent aux femmes le désir de réaliser pleinement leur potentiel. Des réussites qui ont un dénominateur commun : la diversité des origines et des parcours. Chez Mary Kay, des diplômées de Harvard et autres femmes bardées de diplômes travaillent main dans la main avec d'anciennes décrocheuses ou bénéficiaires de l'aide sociale. Notre opportunité de carrière a notamment séduit des informaticiennes, des professionnelles de la santé, des femmes au foyer, des gardiennes d'enfants et des agricultrices. Toutes partagent la conviction de réussir en suivant l'exemple de Mary Kay. Et toutes en récoltent chaque jour les fruits.

Mary Kay avait adressé ce mot à ses leaders : « Ma fierté est immense de voir nos Directrices nationales des ventes dans le monde entier propulser mon rêve dans l'avenir. Aucune autre opportunité de carrière n'offre aux femmes autant de possibilités de succès. La famille de Mary Kay International ne cesse de s'agrandir, et mon rêve de libérer le pouvoir que toutes les femmes portent en elles repose désormais entre vos mains. » Elle a ensuite conclut par l'une de ses phrases fétiches : « Vous y arriverez! » Les éloges et les encouragements que Mary Kay prodiguait sont devenus légendaires. Elle continuera d'inspirer les générations futures grâce aux livres, audiocassettes et vidéos où elle s'adresse à la sensibilité des femmes dans une langue qu'elles comprennent.

Une femme de convictions

Mary Kay a toujours pris soin de ne pas imposer ses idées à quiconque et tirait une grande fierté de la diversité religieuse, ethnique et culturelle de son effectif de vente. Ses propres croyances religieuses étaient évidemment très fortes. Pour son tout premier emploi, elle avait été secrétaire paroissiale. Puis, début vingtaine, elle supervisait les cours de catéchèse de toutes les églises baptistes de sa ville. « Quelle joie! a-t-elle écrit. J'adorais enseigner et mettre au point des programmes éducatifs. C'était l'idéal pour exercer mes talents d'organisatrice, de motivatrice et de conceptrice. »

Sa foi s'étendait à tous les aspects de sa vie. Elle attribuait à Dieu le désir qu'elle a eu de fonder sa Compagnie et Lui attribuait l'essentiel de sa réussite. Son destin ne s'est pourtant pas forgé du jour au lendemain. Comme l'attestent ces propos, qui encourageraient toute femme à croire en son potentiel : « Rétrospectivement, je me rends compte que Dieu a mis longtemps à me préparer aux responsabilités qu'Il me destinait, c'est-à-dire, fonder une entreprise offrant aux femmes la chance de briser ce plafond de verre qui les empêche de réussir à la mesure de leurs capacités. Les Cosmétiques Mary Kay est née le jour où Il m'a cru prête. » Elle a aussi exprimé sa foi en ces propos tenus de vive voix : « En définitive, peu importe l'ampleur de nos revenus, les dimensions de notre maison et le nombre de voitures que nous avons. Quand Dieu nous rappellera à lui, seul comptera le sens que nous avons donné à notre vie. ».

Au fil des années, son engagement religieux lui a valu maintes distinctions et invitations. Elle a notamment figuré parmi les Cent chrétiennes ayant marqué le XXe siècle, participé à l'émission *Hour of Power* du Dr Robert Schuller et reçu le *Christian Excellence*

Award in Business de l'*International Association of Women in Leadership*. Elle a aussi été nommée Femme d'église de l'année par le *Religious Heritage of America*, de même que Femme de l'année par la *Crystal Cathedral Christian Executive Women*. Enfin, elle a été invitée à maintes reprises au *700 Club* de Pat Robertson.

Son livre *Mary Kay On People Management* a par ailleurs fait date en préconisant une gestion d'entreprise fondée sur la Règle d'or : traiter les autres comme on voudrait soi-même être traité. « Je crois que avons réussi parce que Dieu nous a guidés depuis nos débuts », y écrivait-elle. Et de fait, Mary Kay ne dissociait jamais vie spirituelle et réussite professionnelle. Les deux étaient à ses yeux intimement liés.

Mère et filles : un lien d'amour éternel

Ces marques de reconnaissance que Mary Kay recevait de toutes parts comptaient moins pour elle que l'attachement profond que lui inspiraient les femmes de son effectif de vente. Dieu a voulu qu'elle soit aimée et respectée des centaines de milliers de femmes qui ont bénéficié de sa générosité. Or, Mary Kay considérait chacune d'elles comme sa propre sœur ou sa propre fille, de telle sorte que toutes se nourrissaient d'une affection et d'une compassion réciproques. Elle était particulièrement fière de voir des mères partager avec leur fille l'opportunité de carrière qu'elle avait créée. Inversement d'ailleurs. Aujourd'hui, il existe chez Mary Kay des duos mère-fille ou des sœurs formant équipe jusqu'aux plus hauts niveaux, y compris en tant que Directrices nationales des ventes.

Plusieurs autres exemples témoignent de cet esprit de partage et d'entraide familiale que notre fondatrice préconisait.

Ainsi, cette maman atteinte d'un cancer du sein à l'âge de 32 ans et qui, tout au long de neuf années de chimiothérapie et de 19 opérations, a conservé son entreprise Mary Kay grâce au soutien de sa propre mère, elle-même membre de notre effectif de vente. Cette équipe mère-fille compte aujourd'hui parmi les plus durables de notre Compagnie avec 34 ans d'expérience. Écoutons cette survivante du cancer devenue entre-temps Directrice nationale des ventes : « Mary Kay a toujours été là pour moi. Elle a été pour moi une seconde mère, s'informant toujours de ma santé et m'apprenant à croire à mon rêve. J'aurais pu m'apitoyer sur mon sort mais elle m'a inspiré la force de lutter et de retrouver la santé. » La fille de cette Directrice nationale fait maintenant carrière chez Mary Kay! Nous en sommes donc à la troisième génération! « Mary Kay croyait en nous avant que nous ayons foi en nous-mêmes », affirme une autre Directrice nationale, qui a fracassé en 2002 tous les records de revenus de la Compagnie. Et cette autre encore : « Ce qui m'impressionnait chez Mary Kay, c'était sa capacité de se consacrer totalement à qui elle parlait. Elle me regardait droit dans les yeux et savait trouver les mots qui m'inciteraient à me surpasser. Auprès d'elle, j'avais le sentiment d'être le femme la plus importante du monde. Ces précieux instants ont changé ma vie. »

Cette impression se retrouve exprimée dans bon nombre des milliers de lettres honorant sa mémoire et que nous reçues après son décès. Leurs signataires évoquent des circonstances souvent moins dramatiques, mais toutes parlent de l'espoir et de la confiance que notre fondatrice leur a insufflés.

Certaines parlent aussi de leur désir renouvelé de perpétuer son héritage.

« Il est tellement significatif que Mary Kay nous ait quittés à l'Action de grâce, écrivait une Directrice des ventes senior exécutive, car nous lui sommes infiniment reconnaissantes d'avoir fondé cette Compagnie qui incarne un rêve, le sien, que nous perpétuerons avec une détermination absolue. Certains économistes prévoient sans doute que cette Compagnie s'effrtera sans elle, mais nous savons qu'elle prendra au contraire un formidable essor. Car c'est NOUS qui incarnons désormais son rêve. ».

Nous avons l'enthousiasme de Mary Kay!

Lors de notre éblouissant congrès annuel connu sous le nom de Séminaire, les championnes Mary Kay sont ovationnées et portées aux nues comme des stars de cinéma, défilant sur scène et obtenant pour leurs efforts une reconnaissance spectaculaire.

En élaborant son système de récompenses, Mary Kay avait prévu une particularité qui le distinguerait de tout autre système du genre. Traditionnellement, les concours de vente ne désignent que deux ou trois champions. Chez Mary Kay, chacune serait récompensée pour avoir atteint un objectif préétabli, chacune serait reconnue suivant la valeur de ses efforts. Cela de manière à ce que toutes se surpassent en se faisant concurrence à elles-mêmes.

Mary Kay avait également pris soin d'offrir des prix que les femmes apprécieraient vraiment; de belle voitures, notamment. Si nos célèbres voitures de carrière ont la vedette du système de récompenses Mary Kay, celui-ci comprend aussi des bijoux, des pierres précieuses et de superbes voyages. C'est-à-dire des cadeaux que les femmes hésitent à s'offrir elles-mêmes et que notre fondatrice qualifiait de « cadeaux de Cendrillon ».

« Luxe et glamour, disait-elle, voilà ce que nous offrons aux femmes qui travaillent fort pour atteindre leurs objectifs. Sans doute n'étaient-elles pas la reine de leur bal de finissants et ne seront-elles jamais Miss América, mais nous faisons en sorte que la Soirée de Gala de notre Séminaire soit pour elles absolument inoubliable. »

« Pourquoi tant d'extravagance? », s'interroge-t-on parfois. Parce que la générosité de notre fondatrice reposait sur les notions de partage et de reconnaissance. Elle-même avait été trop souvent déçue des « prix masculins » qu'on lui remettait lorsqu'elle gagnait des concours de vente. Elle en a tiré une précieuse leçon et adorait raconter cette histoire d'une lampe de poche d'un modèle bizarre que les pêcheurs à la ligne utiliseraient : « J'ai longtemps conservé cette lampe ridicule pour me rappeler de choisir des prix que les femmes aimeraient vraiment si j'étais un jour en situation de le faire. ».

Le mode de vie Mary Kay offre aussi des récompenses intangibles. Chaque femme de notre effectif de vente est ainsi présidente de sa propre entreprise, ce qui ne l'empêche surtout pas d'en aider d'autres à développer la leur. Et souvent sans rétribution financière, puisque notre fondatrice enseignait que l'aide apportée aux autres nous revient toujours au centuple. Un message universel qui traverse les frontières et que des femmes du monde entier ont intégré à leur vie en dépit d'obstacles parfois énormes. L'une de nos Directrices nationales des ventes, ancienne ingénieure d'un pays d'Europe de l'Est dont l'économie se rétablit peu à peu, en témoigne : « La réussite des femmes de Mary Kay m'a convaincue que je pouvais moi aussi développer ma propre entreprise, conquérir mon indépendance, améliorer mon sort et réaliser mes rêves. Dans mon pays, de nombreuses femmes voudraient profiter de la même chance. À mes yeux, Mary Kay représente la possibilité d'enrichir des vies selon des priorités bien définies et les principes de la Règle d'or. ».

L'importance que Mary Kay accordait à la reconnaissance lui a d'ailleurs valu l'admiration du monde des affaires. Ryan Rogers, son petit-fils qui siège au conseil d'administration de la Compagnie, a accepté en son nom l'hommage posthume que lui rendait en 2002 le *Junior Achievement* en l'intronisant au sein du *Dallas Business Hall of Fame*. « Cette femme remarquable a bâti un véritable empire en reconnaissant les petits et grands exploits des membres de son effectif de vente, a-t-il déclaré. Elle a constamment récompensé celles et ceux qui l'entouraient, et l'on ne saurait mieux lui rendre hommage qu'en lui réservant cette place parmi les grands chefs d'entreprise. »

Du fond du cœur

Nombreux sont les touristes de passage à Dallas qui font une visite guidée du *Mary Kay Building,* lequel compte parmi les plus beaux sièges sociaux des États-Unis. Au rez-de-chaussée, le *Mary Kay Museum* expose sur 300 mètres carrés des milliers d'objets et souvenirs évoquant l'histoire de notre Compagnie et la vie même de sa fondatrice. Rares sont les entreprises de cette importance, et moins encore les entreprises familiales, qui peuvent témoigner d'un héritage aussi riche. Pour Les Cosmétiques Mary Kay, le passé est source de fière tradition et promesse d'un avenir radieux.

En 2002, nous avons agrandi ce musée pour y inclure une salle d'honneur qui, selon notre président Richard Rogers, se veut « un hommage permanent » à chacune des Directrices nationales des ventes indépendantes. « Vous avez exaucé le vœu de Mary Kay de perpétuer son rêve, a-t-il dit à ce prestigieux groupe. Vous représentez la première des nombreuses générations de leaders qui porteront en ce nouveau siècle son flambeau au-delà des frontières ».

Pour elle, la générosité a vraiment commencé auprès des siens

Mary Kay est née avec un cœur immense que les aléas de la vie ont encore agrandi. C'est ainsi qu'elle a créé en 1996 la *Mary Kay Ash Charitable Foundation*, vouée au financement de la recherche sur le cancer afin qu'on puisse un jour prévenir les souffrances inhérentes à cette maladie mortelle qui a emporté son mari bien-aimé, Mel Ash. À l'origine, la mission de cette Fondation était centrée sur l'élimination des cancers touchant les femmes, mais en 2000 on y a ajouté la lutte contre la violence conjugale, un mal tout aussi grave.

La Fondation accorde des bourses à des chercheurs internationaux, mais elle a aussi collaboré en 2001 à la production d'un percutant documentaire de la chaîne PBS sur la violence conjugale, *Breaking the Silence: Journeys of Hope* (Briser le silence : parcours d'espoir). Elle soutient de surcroît des refuges pour femmes en difficultés par l'entremise de dons en argent.

En 2002, la *Direct Selling Association* a remis à Mary Kay Inc. le prix *Vision for Tomorrow* en reconnaissance de ses efforts de sensibilisation au problème de la violence conjugale. Ce prix annuel est une marque de distinction décernée à une entreprise dont les efforts ont grandement amélioré la qualité de vie des gens dans sa collectivité.

La même année, la *Los Angeles Commission on Assaults Against Women* distinguait notre Compagnie en lui remettant son *Corporate Humanitarian of the Year Award*. En acceptant ce prix au nom de Mary Kay, Ryan Rogers a déclaré : « Ma grand-mère a su appliquer ses valeurs et sa philosophie à une entreprise offrant aux femmes un espoir et des possibilités qui vont au-delà de l'indépendance financière, qui les incitent en fait à puiser en elles la confiance qui les amènera à refuser les abus et les mauvais traitements. ».

Au fil du temps, Mary Kay a été distinguée par de nombreux groupes professionnels, religieux et communautaires. En 1978, notamment, elle a reçu des mains du Dr Norman Vincent Peale l'*Horatio Alger Distinguished American Citizen Award.* Un tournant dans sa vie, avait-elle observé, étant donné la mission éducative de cet organisme. Puis, en 1992, elle-même a remis avec la poète Maya Angelou, cette prestigieuse récompense à Oprah Winfrey.

Mary Kay a aussi été la première lauréate du *National Sales Hall of Fame Award* et a reçu, en 1989, le *Circle of Honor Award* de la *Direct Selling Education Foundation*, qui lui a aussi décerné, trois ans plus tard, le *Living Legend Award.* Dans son Épilogue de 1994, elle en créditait tout son personnel : « Aucune ‘ légende vivante ‘n'existe sans de solides appuis. En l'occurrence, ce sont nos employés qui m'ont apporté ce précieux soutien, c'est l'excellence de leur travail qui m'a valu cette distinction. Je suis vraiment très fière d'eux. ».

Un héritage qui se perpétue

La vision d'avenir de Mary Kay lui avait inspiré un ingénieux plan de relève qui lui assurerait d'illuminer et d'enrichir la vie des femmes des prochaines générations. C'est ainsi qu'elle a créé dès 1971 le statut de Directrice nationale des ventes, le plus élevé que puissent atteindre les femmes de notre effectif de vente.

« Elle savait que nos Directrices nationales seraient en somme une réplique d'elle-même, disait son fils Richard Rogers dans un discours en 2002, et qu'elles poursuivraient sa mission après son départ en appliquant ses valeurs et ses principes. Elle savait que son rêve avait la force de lui survivre et de nous survivre à tous et à toutes en inspirant de nombreuses générations encore. ».

« Mary Kay a favorisé l'essor financier et l'épanouissement des légions de femmes qui sont devenues Conseillères en soins de beauté », a écrit un journaliste à son décès. « Elle a frayé la voie à des générations de femmes, a écrit un autre, en leur offrant ses encouragements et les outils nécessaires à leur réussite. Et ces femmes ont certainement transmis cette confiance à leurs filles en les incitant à exploiter leurs talents. Ces progrès en chaîne constituent le meilleur hommage qu'on puisse rendre à une femme qui savait l'importance d'aller au bout de ses rêves. ».

À son décès, Mary Kay était Présidente émérite d'une entreprise au chiffre d'affaires de plusieurs milliards de dollars. Mais derrière ce titre prestigieux, il y avait une femme toute simple qui désirait que les femmes se perçoivent comme elle-même les voyait, c'est-à-dire en créatures de Dieu capables de réaliser leurs rêves si elles acceptent de travailler fort et d'en payer le prix. Une femme dont la bonté était cent fois plus grande que la fortune.

« Maman croyait que tout ce qu'on fait pour enrichir la vie des autres revient à enrichir la nôtre, a rappelé son fils à ses obsèques. Ce faisant, estimait-elle, on récolte tôt ou tard les bienfaits de la Règle d'or. Sa grandeur résidait dans sa capacité de faire valoir ce que les gens ont de plus beau pour les amener à faire eux-mêmes preuve de grandeur. Elle se préoccupait tant de nous tous et faisait tout en son pouvoir pour nous rendre heureux. Dieu a rappelé à Lui une femme qui a immensément contribué à faire de ce monde un monde meilleur. ».

Au début des années 1970, Mary Kay avait découvert en Australie un poème anonyme qui exprimait parfaitement ses sentiments à l'égard de ses dizaines de milliers de « filles ». Elle citait souvent ce poème qui a inspiré une magnifique sculpture ornant aujourd'hui l'entrée de notre siège social international. Le voici en traduction libre :

Sur des ailes d'argent

J'ai un doux pressentiment,
porté sur des ailes d'argent
Un rêve de toutes les réalisations
qui paveront votre chemin
Je ne sais sous quels cieux,

ni où vous défierez votre destin,
Je sais juste qu'il sera glorieux,
je sais juste qu'il sera grand!

Ce même esprit, cette même confiance et cette même détermination habitent aujourd'hui les leaders de l'effectif de vente à qui Mary Kay a légué son héritage. Celle-ci savait que son rêve se perpétuerait encore longtemps. Oui, le souvenir de tout ce qu'elle était et de tout qu'elle a accompli restera éternellement gravé dans nos mémoires. « À mes yeux, aimait-elle dire, la vie est bien davantage qu'une petite bougie à la flamme vacillante. C'est un magnifique flambeau qui brille intensément et que je veux à tout prix transmettre aux générations futures. ».

Pour de plus amples renseignements sur Les Cosmétiques Mary Kay, consultez notre site www.marykay.ca.

En hommage à notre bien-aimée Mary Kay Ash, le présent Épilogue a été mis à jour en 2003, à l'occasion du 40e anniversaire de notre Compagnie, afin d'enrichir son autobiographie des plus récentes informations sur la vie de notre fondatrice et l'historique de son entreprise. Tous nos remerciements à l'équipe de recherche composée de Peggy Anderson, Jennifer Cook, Elaine Jay, Randall Oxford et Leslie Roberts, de même qu'à Elaine A. Goode, rédactrice, à Yvonne Pendleton, gestionnaire du projet, et à Stephen Webster, directeur artistique.